Les mères toxiques

TERRI APTER

Les mères toxiques

Les comprendre pour se libérer de leur emprise et ne pas reproduire les mêmes schémas

Traduit de l'anglais
par Danielle Lafarge

Titre original :
DIFFICULT MOTHERS

INTRODUCTION

Je sens la vague me submerger. Je regarde vers la fenêtre du bureau et me laisse envahir par l'un de ces délicieux moments intimes, lorsque les songes du passé balayent les préoccupations du quotidien. Soudain, je me fige. Ma rêverie est interrompue par le souvenir du souffle saccadé de ma mère. Son rythme se mêle aux battements de mon cœur. Le plaisir que je ressens à la vue des jardins de l'université, baignés dans le calme paisible de cet après-midi studieux, reflue face au déchaînement brutal des accusations et des sarcasmes. Ma mère est morte depuis longtemps. J'ai fondé une famille, je suis comblée par ma vie professionnelle, mais ses critiques, sa suspicion, son inquisition continuent à me poursuivre.

Je considère que je suis une rescapée, mais aussi que j'ai su profiter, d'une certaine manière, des énigmes et des paradoxes de cette relation toxique. Au cours des recherches menées pour ce livre, j'ai compris que beaucoup de gens ont appris la tolérance, la diplomatie, la compassion et la patience grâce à la relation toxique qui les unit à leur mère. Mais, pour beaucoup d'autres, ses effets ont été dévastateurs. Ces individus persistent à se voir comme l'enfant qui ne trouvait jamais de réconfort auprès de la personne qui occupait une place centrale dans leur vie. L'amour, l'attachement et l'intimité nourrissent en eux les dangers de la contrainte, de l'humiliation et du désespoir. Même si le vécu alimente la créativité et peut être source d'énergie, d'imagination et d'intelligence, il peut aussi nous laisser perplexes, nous mettre en colère et nous déstabiliser. Ce livre tente d'expliquer les égarements de l'une des relations les plus formatrices de la vie et la persistance de ses effets néfastes. La psychologie démontre pour quelles raisons nos difficultés passées continuent à nous hanter et à modeler notre présent. Elle propose aussi des outils pour transformer nos réactions et renforcer notre résilience (faculté à surmonter des situations traumatiques).

Les Mères toxiques est né d'un article que j'avais écrit pour le magazine *Psychology Today*, dans lequel je présentais les points communs à toute relation avec une mère toxique. Les courriers de lecteurs n'ont pas tardé à affluer. Je pensais décrire quelques cas isolés, mais il fallait se rendre à l'évidence : le thème avait une vaste résonance. Des adolescents, des jeunes adultes, des hommes et des femmes dans la force de l'âge, mais aussi des personnes âgées, m'écrivaient que je leur avais ouvert les yeux et qu'ils comprenaient mieux la toxicité de leurs relations avec leur mère. Ils exprimaient leur soulagement de ne pas être seuls et de savoir que ce n'était pas que de leur faute. Ils se sont sentis libérés d'une honte ancienne. Moi aussi, j'ai été soulagée et heureuse d'avoir traité un sujet qui me préoccupait depuis longtemps, mais que je pensais ne présenter qu'un intérêt limité puisqu'il n'était censé concerner que quelques rares exceptions.

Toutes les réactions n'étaient pas positives. Une amie de longue date et collègue qui m'est chère m'a fait remarquer que bien qu'elle trouvât l'article utile dans sa pratique clinique, ses sentiments restaient néanmoins réservés.

« Il est dangereux de parler de mères toxiques », me dit-elle. « On accuse souvent les mères de tous les maux, sans tenir compte de leur point de vue. »

Quiconque abordait le thème épineux des mères toxiques avait tout intérêt à tenir compte de l'avertissement de ma brillante collègue. Les « mères toxiques » sont un sujet dangereux. En premier lieu parce qu'il menace de remettre en cause l'idéal de l'« amour maternel », qui est le fondement des modèles parentaux en usage en psychologie, dans la société et en politique. Les lieux communs ne manquent pas pour tenter de soulager le malaise que fait naître le sujet : « On n'a qu'une seule mère », « Elle fait de son mieux », « Tu sais qu'elle t'aime ». Ces affirmations concluent ce débat qui se veut sans appel. Le message est clair : « Concentre-toi sur les bons côtés de cette relation », « Tu ne peux pas remettre publiquement en cause l'idéal maternel ». En d'autres termes, mieux vaut se soumettre face au dilemme relationnel imposé par la mère toxique que d'exprimer les sentiments paradoxaux qui vous déchirent. Face à cet argument, je rétorque qu'il faut résister à la pression culturelle qui tend à nier ces pensées et émotions complexes et désagréables. La résistance est un devoir fondamental du psychologue, mais aussi de quiconque voudrait se sentir entier.

La simple mention des mères toxiques peut être perçue comme une tentative de dénigrer toutes les mères. Cette seconde objection est simplement le reflet de la première. Tout ce qui est idéalisé risque aussi d'être dénigré ou diabolisé. Quand l'image de la mère est idéalisée, la mère en chair et en os devient une « mauvaise mère ». La mère idéale est patiente, aimante et réceptive. Elle est à l'unisson avec les besoins de son enfant et indifférente aux siens. Dans ce cas, le qualificatif de mère « toxique » fait-il simplement référence à une mère qui ne correspond pas à cet idéal irréaliste ?

Non. J'insiste sur l'importance de la réceptivité maternelle, à la fois dans l'enfance et tout au long du développement de la personne ; mais une réceptivité suffisante est très loin d'une réceptivité parfaite. Après tout, les enfants s'épanouissent avec un parent qui présente une palette ordinaire de côtés abrupts, de limites et d'imperfections. Au lieu d'opposer la « bonne » à la « mauvaise » mère, je préfère parler de mères « suffisamment bonnes[1] ». D'ailleurs, l'enfant doit avoir conscience des excentricités, de l'individualité et des besoins « égoïstes » de sa mère. L'enfant trouverait que la mère « parfaite » est « trop bonne » ; une mère « parfaite » serait incapable de transmettre les rudiments de ce que c'est d'aimer et d'être aimé par une personne ayant ses propres besoins et intérêts, dont l'attention parfois s'éloigne et s'amenuise, dont les humeurs fluctuent, dont les émotions ont un caractère et un rythme qui leur sont propres. Une mère assez bonne n'est certainement pas une mère parfaite et elle doit révèler la diversité de l'humanité à l'enfant.

La troisième raison pour laquelle les « mères toxiques » sont un sujet dangereux, c'est que cela semble justifier objectivement les critiques d'un fils ou d'une fille. Les psychologues cliniciens entendent souvent leurs patients se plaindre de leur mère et, au fil du temps, ils finissent par se représenter l'image d'une personne vindicative, déprimée, hostile ou froide. Pourtant, s'ils venaient à la rencontrer, ils chercheraient en vain l'incarnation du portrait soigneusement brossé par leur patient. Au lieu d'une femme vindicative, déprimée ou froide, ils trouvent en général une personne très différente. Il peut s'agir d'une personne songeuse et réticente, mais plus ouverte et réactive que déprimée. Elle peut même leur paraître heureuse et calme. Ruthellen Josselson écrit qu'elle reprend toujours les thérapeutes lorsqu'ils lui présentent le cas

1. Selon une expression de Donald W. Winnicott.

d'un patient dont la mère est décrite comme en colère, dominatrice, narcissique, envieuse ou dépressive. « Vous voulez dire que votre patient a le sentiment que sa mère est toxique », les corrige-t-elle.

Ce sont ces expériences marquantes que je décris. La façon dont un fils ou une fille interagit avec sa mère, et dont il ou elle la perçoit, peut être très différente de la version plus objective d'une personne extérieure. Mais les expériences n'en sont pas moins vraies ou moins convaincantes parce qu'elles sont subjectives.

Le quatrième danger qui menace l'exploration du thème des mères toxiques, c'est de se contenter d'allonger la liste, déjà longue, d'instructions sur les manières d'être une bonne mère. Au cours des cent dernières années, les mères ont été bombardées d'opinions expertes sur leur comportement de parent. Un livre portant sur les mères toxiques pourrait vouloir rappeler aux mères tout le mal qu'elles peuvent faire à leur enfant si elles ne le maternent pas en suivant quelques préceptes bien précis.

Ce livre n'énumère pas tout ce qu'il faut faire ou ne pas faire pour être une bonne mère. Au lieu de cela, j'examine ici les deux protagonistes de cette relation déterminante et je décris les circonstances dans lesquelles certains d'entre nous (20 % environ) voient leur mère comme toxique. Les circonstances particulières et leur expérience individuelle vont au-delà de vagues généralisations. Certains enfants ont le patrimoine génétique d'un robuste pissenlit et sont capables de pousser dans des conditions difficiles, alors que d'autres ont les gènes d'une fragile orchidée[1]. Il n'est pas facile de définir ce qu'est une « mère toxique ». J'utilise aussi cette expression comme raccourci pour « relation toxique » ou « environnement relationnel toxique ». Dans ce contexte, je m'interroge sur l'influence des critiques constantes, du ressentiment, de la négligence, de la rigidité ou de l'inconstance de la mère sur l'état d'esprit et les émotions de son enfant. En quoi les conflits et les irritations saines sont-ils fondamentalement différents d'un enchevêtrement inextricable de conflits et de tensions qui nuisent à toute relation ? J'explique comment des « expériences cruciales », faites d'événements, de paroles et d'agissements, en arrivent à forger les modèles internes du monde interpersonnel du fils ou de la fille.

En outre, il est encore dangereux de parler de mère toxique, car cela pourrait être interprété à tort comme la défense du mythe selon lequel la mère est la seule responsable du bien-être de son enfant. Mais pourquoi alors ne s'intéresser qu'à la mère ? Le père n'est-il pas aussi responsable ? Les grands-parents, les frères et sœurs, les amis, les voisins, les enseignants, n'interagissent-ils

1. Ce gène spécifique qui régule les humeurs est le gène du transporteur de la sérotonine, ou « gène de la dépression ». En plus d'être associé à une grande vulnérabilité et à la dépression, il est lié à une sensibilité exacerbée à l'environnement émotionnel.

pas eux aussi avec l'enfant et n'ont-ils donc pas leur part de responsabilité ? Évidemment. La mère n'est pas la seule source de compréhension et de soutien, mais elle joue un rôle majeur, à la fois par nature et par culture. Alors que nous nous développons par le biais d'expériences et de relations variées, nous avons tendance à dépendre des satisfactions et des frustrations de cette relation fondamentale et à les refléter. Nous cessons rarement de nous soucier de l'opinion de notre mère et de ses réactions à notre encontre. Mais comme le père revêt souvent autant d'importance, j'utilise parfois le mot « parent » pour suggérer que les problèmes que l'on rencontre plus souvent avec une mère peuvent aussi s'appliquer au père toxique.

Pour la plupart des parents et de leurs enfants, la relation d'appartenance les uns aux autres présente des hauts et des bas, mais quels que soient les heurts, les accrocs et les conflits, la relation est largement réconfortante et aimante. Mais si la relation fait davantage souffrir qu'elle n'apporte de réconfort et de plaisir ? Et si ce lien déterminant est si déroutant et confus qu'en l'acceptant il faut aussi accepter les critiques incessantes, les moqueries, les exigences, les intrusions ou la colère ? Et si nos faits et gestes quotidiens sont sans cesse critiqués ? Et si nous ne pouvons pas nous faire confiance, si nous devons renoncer à nos propres désirs ou surveiller sans cesse nos comportements pour mériter une relation que la plupart des gens tiennent pour acquise ? C'est dans ces circonstances que j'emploie l'expression « mère toxique ».

Le public auquel je destine ce livre se compose d'adultes de tous âges qui essayent de donner un sens à leur expérience. Certains s'interrogent sur leur lointain passé. D'autres sont aux prises avec des difficultés qui continuent de les tenailler. Certains lecteurs sont des parents qui essayent de comprendre le désarroi déconcertant de leurs propres enfants. D'autres sont des thérapeutes et des cliniciens qui essayent d'améliorer le cadre conceptuel de relations tendues. Certaines personnes sont des adultes en devenir, en quête d'un champ lexical pour formuler leurs émotions brutes. Beaucoup de ceux et celles qui cherchent à comprendre volent déjà de leurs propres ailes, mais ils sont toujours freinés et désorientés par les effets lancinants de cette relation toxique. Ils peuvent être contraints de garder le silence par une culture qui idéalise ou diabolise la maternité et laisse peu de place à des sentiments complexes où une forme d'amour se mêle à la colère et à l'indignation. Les hommes et les femmes qui se sentent à la fois lésés et confus partagent l'envie d'exprimer, de comprendre et de venir à bout de la perplexité et de la déception nées de leurs sentiments paradoxaux.

Dans le premier chapitre, je commence par décrire le dilemme émotionnel qui réside au cœur de cette relation difficile. Puis j'énumère les grandes catégories de relations toxiques. Au chapitre 2, j'examine les conclusions de recherches menées récemment en psychologie du développement et en neurologie afin d'expliquer pourquoi le rôle de la mère occupe toujours une place centrale dans notre patrimoine émotionnel. Dans les cinq chapitres suivants, je décris successivement différents types de toxicités. Le chapitre 3 examine l'impact de l'instabilité émotionnelle de la mère à vif et les conséquences de la confrontation à ses émotions imprévisibles. Le chapitre 4 étudie quant à lui l'impact de l'interventionnisme et de l'inflexibilité d'une mère, ainsi que les adaptations fréquentes à ces contraintes. Le chapitre 5 décrit le dilemme perturbateur auquel l'enfant est confronté quand il doit conforter l'image de sa mère. Le chapitre 6 explore ensuite le dilemme imposé à l'enfant quand ses réussites paraissent offenser sa mère. Quant au chapitre 7, j'y examine l'effet tragique de la négligence émotionnelle d'une mère, souvent provoquée par la dépression. Ces chapitres se concluent tous par des suggestions pour mener votre propre « audit émotionnel ». Cet audit fournit des outils concrets pour déterminer de quelle façon votre relation toxique avec votre mère peut continuer à vous affecter. Vous y trouverez des exercices qui vous aideront à identifier à la fois les parades et les aptitudes que vous aurez développées pour vous adapter à la relation toxique. Ensuite, je vous propose des stratégies que vous pourrez mettre en œuvre pour reformuler vos réactions et vos attentes. Au chapitre 8, je souligne les différences essentielles entre les tensions et les déceptions normales dans le cadre de cette relation fondamentale et le paradoxe cruel et déroutant d'une mère toxique. Enfin, dans le dernier chapitre, « La résilience », j'explique qu'il est crucial de bien comprendre les enjeux de cette relation difficile pour pouvoir gérer et surmonter le pouvoir d'une mère toxique.

Ce livre se base sur un vaste corpus de recherches – les miennes et celles d'autres chercheurs – menées au cours de nombreuses années d'observation des mères et de leurs nourrissons, de cas cliniques, de théories du développement, et de nouvelles découvertes dans la science du lien humain. Je me réfère à mes propres recherches sur le développement des jeunes enfants, sur les mères et les adolescents, les jeunes adultes et les transitions de la cinquantaine. Les études de cas se basent sur des entretiens avec des hommes et des femmes âgés de 17 à 67 ans. J'étudie les récits que les gens me font de leurs expériences, la façon dont ces récits prennent sens et dans quelle mesure ce sens modèle la conscience de soi, et leurs attentes envers autrui. Ensuite, je procède à une analyse thématique des transcriptions et je cartographie des schémas à partir d'expériences différentes et uniques. Je pousse l'interprétation encore plus loin en me référant à des théories testées et éprouvées portant sur le développement psychologique et l'impact durable du lien primaire.

Au cours des quinze dernières années, j'ai mené une série d'entretiens avec 176 adolescents et adultes au sujet de leur expérience du maternage. Environ 20 % des 176 personnes interrogées – soit 35 au total, 19 femmes et 16 hommes – ont fait des récits qui décrivent indubitablement un environnement relationnel toxique généré et entretenu par le comportement de la mère. Les participants étaient issus de groupes ethniques variés et vivaient aux États-Unis et au Royaume-Uni. Comme je ne fais pas de généralisation à propos de groupes de population, je ne précise pas l'origine ethnique des participants. En revanche, j'indique l'âge des personnes qui témoignent, car leur opinion sur leur mère et son impact sur leur vie a tendance à évoluer au fil du temps.

Je ne sais pas dans quelle mesure ces constats sont représentatifs de l'ensemble de la population. Il n'existe pas non plus d'étude statistique des dommages ou de la résilience provoqués par une mère toxique. L'objectif de cette étude qualitative n'est pas de dénombrer les personnes qui ont une mère toxique, mais de comprendre ceux qui en ont une et d'identifier des dénominateurs communs pouvant les aider à donner un sens à leur expérience.

Cette approche repose sur mon intime conviction qu'une personne vit et se développe grâce à sa relation aux autres. Les premières expériences des soins, du lien et du regard, au sens très large, que nous avons reçues de notre premier pourvoyeur de soins – généralement notre mère – nous aident à construire notre conscience de soi, ainsi que notre capacité à réfléchir sur nos émotions et à comprendre les réactions d'autrui à notre égard. Lorsque nous subissons une difficulté prolongée à être reconnus et à ressentir la chaleur de la compréhension d'autrui, nous essayons de nous rassurer autant que possible en évoluant et en niant nos besoins. Pour pouvoir affronter cet épineux dilemme, nous devons le comprendre et en reformuler les termes. C'est précisément la vocation de cet ouvrage et j'espère qu'il sera utile au plus grand nombre.

1
MÈRES TOXIQUES : DÉNOMINATEURS COMMUNS

« Qui parmi vous a une mère toxique ? »

Je pose cette question à un groupe d'adolescentes. Elles se regardent et les rires fusent tandis qu'elles lèvent la main le plus haut possible, comme pour revendiquer la mère la plus toxique. Des filles de 13 à 14 ans se trémoussent sur leur chaise, impatientes de raconter leur désarroi. Clara se plaint que sa mère la « traite encore comme une petite fille ». Lise lui coupe la parole : « Ma mère m'étouffe. Elle me couve, je suis surprotégée. » Amanda à son tour déclare : « Ma maman n'a aucune idée de qui je suis vraiment. »

Les filles de 16 ans sont prudentes. Elles jettent un coup d'œil autour d'elles pour vérifier si leur irritation est partagée. « De son vivant, je n'aurai jamais le droit de m'amuser ni de faire ce qu'il me plaît », s'exclame Magda. À 18 ans, Lia, à l'aube de l'âge adulte, est plus résignée. « Je m'en fiche », dit-elle en haussant les épaules, « Je quitte bientôt la maison ». Sarah, 17 ans, conclut : « Il me faut une porte de sortie pour ne pas perdre les pédales. »

En un autre lieu, en un autre temps, je pose la même question à un groupe de 15 femmes adultes – les mères de ces adolescentes. Elles aussi se regardent en hochant la tête d'un air entendu. Elles partagent le même fardeau : mélange d'agacement et d'amusement, reliquat des disputes passées, malaise dû aux vestiges de la dépendance. Soudain, l'une des femmes s'exclame : « J'espère que je ne deviendrai pas comme elle. » Des rires gênés éclatent dans l'assistance. « J'espère que mes enfants ne me voient pas comme je voyais ma mère. » Les rires cessent. On entend des soupirs, des murmures, bientôt suivis d'un silence glacial tandis qu'elles pèsent cette possibilité.

En une autre occasion, je m'adresse à un groupe d'une vingtaine d'hommes. Il n'y a pas de sentiment d'appartenance à un groupe, seulement une attente inconfortable. La salle bruisse de silence. Certains regardent par terre pour éviter tout échange de regards. D'autres changent maladroitement de position sur leur siège. Certains se raidissent. D'autres croisent les bras et regardent droit devant eux. Quelques-uns secouent la tête et d'autres opinent du chef. Puis l'un d'eux s'adosse à sa chaise et prend la parole : « Oui, j'ai une mère toxique, même très toxique. » Entendant sa confession, les autres se tournent vers lui. Certains haussent les épaules ; d'autres acquiescent.

Dans chacune de ces situations, le témoignage de l'une des personnes présentes délie les langues.

Certains se remémorent des bribes de souvenirs, tout juste remontés à la surface. D'autres voient des images fixes, fréquemment revisitées par la pensée, comme sondées par la langue qui explore une dent douloureuse. Les récits s'emboîtent. Certains décrivent des drames dus à la négligence, d'autres des blessures nées des critiques et des punitions. Les plaintes se mêlent parfois à des anecdotes amusantes, à des récits d'embarras ou de déceptions issus des hauts et des bas communs à toute relation, tandis que d'autres évoquent un environnement émotionnel pesant qui marque l'enfant à tout jamais et façonne l'adulte.

TOXICITÉS VARIÉES

Les gens se plaignent communément de leur mère. Les adolescentes discutent des frasques de leur « mère oppressante ». Elles aimeraient s'affranchir de leur famille. Elles se veulent indépendantes, avec leurs propres perspectives, leurs propres normes. Elles ont hâte de se forger une nouvelle identité en se démarquant de leur parent. Chez les femmes aussi, le ton change quand elles parlent de leurs mères ; elles s'attendent à ce que les autres comprennent leur tension et leur affection teintées de sens du devoir et d'irritation. Pour les adolescents qui parlent rarement de leur mère, le mot « maman » est chargé d'un fardeau émotionnel encombrant. Ils s'efforcent de marginaliser son importance et de moquer sa tendresse.

Se plaindre de sa mère est une activité sociale ordinaire. Nous nous lamentons du pouvoir qu'elle exerce sur nous et qui nous met mal à l'aise. Nos attentes élevées nous poussent à exiger d'elle l'impossible et les déceptions sont inévitables. Comme nous avons immensément besoin de l'attention, de l'appréciation et de la compréhension de notre mère, nous avons tendance à critiquer les réactions qui ne sont pas celles attendues et nous nous plaignons qu'elle ne réponde pas tout à fait à nos attentes.

L'histoire intime de notre amour et de notre dépendance fait qu'il est peu probable que nous évaluions objectivement les qualités de notre mère. Parce que ses mots et ses gestes ont tant de pouvoir, nous sommes souvent incapables de distinguer, dans le feu de l'action, un fait précis qui nous a blessés ou un comportement qui nous a contrariés. Ses imperfections fréquentes – comme ses appels répétés à la prudence, ses questionnements incessants sur notre santé et notre bien-être, ses vêtements mal assortis qui nous font honte, son ton exubérant qui nous donne l'impression d'être un petit enfant alors que nous aimerions être considérés comme un adulte – sont embarrassantes. Peut-être pense-t-elle que nous avons besoin qu'elle s'occupe de nous, alors que nous pensons être indépendants. Peut-être qu'en sa présence un ancien « moi », dépendant, se réveille et nous en venons à douter de notre maturité.

L'attention d'une mère peut être plus pénible que réconfortante. Quand nous sommes malades, son anxiété peut faire empirer notre état. Elle nous rappelle toutes les précautions que nous devrions prendre et nous passe au gril pour savoir comment nous allons. Quand nous subissons une déconvenue, comme la perte de notre emploi, son inquiétude peut aggraver notre anxiété. Son empathie nous indique que nous ne serons peut-être pas capables de gérer cette déception, alors que nous aimerions croire que nous le sommes. Ses questions permanentes (« Comment vas-tu ? », « Quelles sont les nouvelles ? ») – que ce soit à propos de notre santé et de notre bonheur, de notre vie sentimentale, de notre carrière ou de notre confort matériel – se concentrent sur des points sensibles que nous préférerions ignorer. Ses tentatives pour nous rassurer ou nous complimenter nous ennuient. L'affection et l'attention maternelle nous ramènent à l'enfant qui implorait son soutien et sa sympathie et que nous espérions avoir laissé derrière nous. Les mères ordinaires sont parfois « toxiques » au sens large, parce qu'elles nous rappellent des souvenirs qui nous contrarient ainsi que nos propres sentiments de dépendance et d'insatisfaction. Par conséquent, quand nous nous plaignons des imperfections de notre mère, il est important de nous souvenir que c'est probablement davantage de notre faute que de la sienne.

Le concept crucial de mère « suffisamment bonne » tient compte du fait qu'une mère ne doit pas nécessairement être « parfaite » en répondant absolument à toutes les revendications ou à tous les besoins de son enfant. Une mère suffisamment bonne est une mère auprès de qui un fils ou une fille trouve plus de réconfort que de tristesse, plus de résonance que de dissonance. Une mère suffisamment bonne a les manies et les faiblesses d'une personne ordinaire, mais elle donne néanmoins à son enfant un aperçu des multiples compromis que constituent l'amour de deux personnes imparfaites, l'engagement de l'une envers l'autre coexistant avec les pensées, les besoins, les désirs et les distractions de chacune. Une mère suffisamment bonne peut avoir des habitudes qui sont plus souvent ennuyeuses qu'attendrissantes. Elle peut avoir des opinions complètement dépassées sur les centres d'intérêt et les capacités de son enfant ; mais elle est suffisamment bonne parce que la relation qu'elle offre laisse de la place pour la compréhension, l'imagination, l'épanouissement et le plaisir.

INSTANTANÉS DE MÈRES TOXIQUES

« Alors, qu'est-ce qu'une mère toxique ? »

Une mère toxique peut être définie comme une personne qui pose un dilemme à l'enfant : soit tu développes des mécanismes de mimétisme complexes pour préserver notre relation, à mes propres conditions, soit tu seras ridiculisé ou tu subiras ma réprobation, ou pire encore, mon rejet.

Dans les instantanés suivants, qui montrent une mère avec son enfant, nous pouvons repérer les différences entre une mère qui offre sa chaleur et son réconfort et une autre qui impose des conditions d'engagement qui nous empêchent de profiter de son amour, mais qui comblent ses besoins à elle.

- **Instantané un : prends garde à ma colère.**

Benjamin a 24 ans. Il est constamment sur ses gardes pour déceler les signes annonciateurs de la colère de sa mère :

Je ne sais jamais ce qui va mettre le feu aux poudres. Toutes ces années passées à essayer de comprendre n'y ont rien changé. Pour autant que je sache, sa colère n'a ni logique ni raison. Le mieux que je puisse faire, c'est anticiper deux minutes avant l'explosion, avant qu'elle ne sente elle-même la colère bouillonner en elle. Son cou se met à gonfler, ses bras se serrent le long de son torse. Quand elle devient écarlate, je sais que je dois me tenir prêt. Je suppose que nous avons tous notre caractère, mais celui de ma mère est insupportable. Si tu ne fais pas le dos rond, tu risques de te prendre des coups. Mais ce n'est pas tout, cela ne se limite pas à essayer de s'en sortir sans se faire frapper. Le pire c'est ce que ça vous fait, ce que ça dit de vous.

- **Instantané deux : tu es méchant si tu ne me fais pas plaisir.**

François a 32 ans. Il décrit la vie aux côtés de sa mère :

Quand tout va bien, elle est la gentillesse incarnée. La vie est belle. Elle est généreuse et prête à faire plaisir. Elle regorge de compliments. Mais si tu as le malheur de lui dire non, aussi dérisoire que soit ce non, c'est la fin du monde. Ses yeux lancent des éclairs. Elle devient muette ou laisse jaillir une éruption de plaintes et d'accusations parsemées de menaces. Comme l'autre jour quand elle m'a dit : « Tu as un mauvais fond, j'espérais que ça disparaîtrait, mais c'est toujours là. Au fond de toi, tu es mauvais. » Je l'adore et j'espère qu'un jour j'arriverai à savoir quand je peux m'exprimer et quand je dois y renoncer pour faire ce qu'elle demande. J'espère finir par comprendre, mais je n'en suis pas encore là. Il me faut donc rester sur mes gardes, même quand elle est gentille. Il faut que je sois prudent, sinon les murs finiront par se refermer sur moi.

- **Instantané trois : moi d'abord.**

Jeanne a 14 ans. Elle est obnubilée par les besoins de sa mère :

Je dois prendre soin d'elle. Cela me rend moins égoïste, tu vois, plus mûre que mes amis. Eux se disent : « J'ai envie de faire ci ou ça », contre l'avis de leur mère. « Comment faire pour qu'elle ne le sache pas ? » Mais moi, c'est plutôt : « Est-ce que j'aurai le temps de faire ci ou ça, en plus de tout ce que je dois faire pour elle ? » C'est une excellente mère, très aimante, mais elle est vite dépassée par les événements. Je suis très heureuse quand elle va bien. J'arrive bien à deviner ce dont elle a besoin et à trier l'indispensable du superflu pour qu'elle ne soit pas débordée. Tant que je ne relâche pas mes efforts, elle peut rester heureuse pendant de longues périodes.

- **Instantané quatre : ton bonheur me blesse.**

Rachel a 27 ans. Elle est découragée par les réactions de sa mère face aux petits bonheurs de son existence. Elle décrit « la tristesse qui s'abat sur elle quand je montre que je suis heureuse ».

Je vois la dureté de sa bouche et de sa posture qui se fige quand je lui raconte un détail posi-

tif de la journée que je viens de passer. Même quand je lui ai annoncé que j'étais reçue à l'université et que j'avais obtenu une bourse, elle a commencé à se mordre les lèvres et à ressasser des désastres potentiels alors que je pensais lui faire plaisir. Je me demande bien pourquoi je me donne encore cette peine.

- **Instantané cinq : incapacité à voir.**

Sonia tient Kieran, son fils de 7 mois, sur ses genoux, le visage du bébé est tourné ailleurs et explore le vide autour de lui. Quand Kieran se débat pour changer de position, Sonia le maintient en place en lui bloquant les bras. Puis, elle commence à lever et à baisser les bras du bébé, une fois, deux fois, trois fois, comme si c'était les bras d'une poupée limités dans leurs mouvements. Ensuite, elle allonge Kieran dans son berceau, sur le dos. Les yeux du bébé fixent le visage de Sonia et ses mains se tendent vers elle. Sonia lui donne un hochet. Kieran le fait tomber. Il pleurniche et tourne sa tête vers sa mère. Sonia soupire, enfonce une tétine dans la bouche du bébé et détourne la tête pour regarder le mur face à elle.

Ces cinq instantanés montrent des aspects très différents de mères toxiques, mais chacun décrit un paradoxe auquel l'enfant est confronté : il doit se plier à des conditions difficiles alors qu'il recherche intimité, réconfort et compréhension.

LE DILEMME TOXIQUE

Tous les parents ont des hauts et des bas. Tous les parents ont leurs mauvais jours. Quelques accès de colère, des exigences parfois déraisonnables, un mot pas toujours très gentil ne rendent pas une mère toxique. Au sens psychologiquement significatif, une mère toxique est bien plus qu'une mère parfois désagréable. Même s'il existe différentes variétés de mères toxiques, on constate un schéma récurrent. Une mère toxique pose un dilemme à son enfant : « Soit tu développes des mécanismes complexes et contraignants pour préserver notre relation, au prix de ton opinion, de ton imagination et de tes valeurs, soit tu seras ridiculisé, tu subiras ma désapprobation ou mon rejet. »

L'enfant n'échappe pas facilement à ce dilemme parce qu'il ne peut pas dire : « Je me fiche que tu penses que je suis méchant », « Ça m'est égal que tu fasses attention à moi » ou « Tant pis si tu es fâchée ». L'enfant est terrifié à l'idée d'être abandonné. La peur panique primitive de l'abandon perdure longtemps après la fin de la vulnérabilité physique du bébé. Même en tant qu'adultes, nous sommes rarement disposés à renoncer à l'amour maternel, quand bien même il apporte douleur, frustration et déception.

Les enfants s'efforcent d'élaborer des stratégies dans le but de gérer l'environnement émotionnel dans lequel ils vivent. Les stratégies requises par une mère toxique sont très différentes des qualités relationnelles que les enfants développent au sein de leur famille lorsqu'ils échangent affection et disputes, qu'ils jouent et sont en concurrence, qu'ils testent et négocient leur place au sein de leur famille. Les stratégies particulières que la mère toxique impose à son enfant sont dominées par la peur, l'anxiété et la confusion. Alors que la plupart des enfants apprennent à se comporter par le biais d'un assez vaste spectre de félicitations, de réprimandes et de pardons, ceux qui ont une mère toxique évoluent sur une corde raide, dans la crainte des conséquences du moindre faux pas. Ils vivent dans un monde à haut risque qui exige une vigilance anxieuse envers les réactions de leur mère. L'héritage maternel modèle souvent la conscience de soi de l'enfant et ses relations aux autres, bien après que « l'enfant » a quitté la maison.

LA RÉALITÉ NUE

Il y a plus d'un siècle, Léon Tolstoï écrivait la première phrase de son roman *Anna Karénine*, qui marque une différence cruciale dans l'atmosphère émotionnelle des familles : « Toutes les familles heureuses se ressemblent, mais chaque famille malheureuse l'est à sa façon. » Nous saisissons immédiatement la différence entre les interactions humaines qui se déroulent sans heurts, de bonne grâce, dans la joie et la bonne humeur, et celles qui coincent, s'arrêtent, puis redémarrent de façon inhabituelle. Dans une famille soi-disant heureuse, la conversation est sensée et va de l'avant ; on échange des sourires, des rires, des regards sympathiques ou tristes, des exclamations de surprise ou de désarroi. Il y a inévitablement des hésitations, des malentendus, des désaccords et des confusions. Des disputes éclatent dans toutes les familles mais, dans la majorité des cas, les perturbations sont éphémères. Les opinions sont exposées avec passion, les perspectives sont reconsidérées, les sentiments offensés sont consolés et les interactions ne tardent pas à redevenir agréables.

Quand la conversation est interrompue, quand la voix d'une personne est imitée et reprise de façon déconcertante et énervante, quand les expressions de tendresse ou les appels à l'empathie sont ignorés ou tournés en ridicule, quand on est constamment sur le qui-vive par peur d'éruptions de colère ou d'ordres intrusifs et implacables, quand les tentatives d'explication ou les gestes de rapprochement sont retournés contre vous, alors vous avez pénétré dans le territoire caractéristique des familles malheureuses. Au lieu de mettre les choses au clair, les disputes donnent le jour à de nouveaux conflits qui persistent, pesants et menaçants. Vous voyez bien que les choses tournent mal, même s'il est difficile d'identifier précisément ce qui va mal. Les interactions suivent des schémas familiers, mais n'ont aucun sens. Quand vous cherchez à comprendre, vous vous heurtez à la confusion. Quand vous essayez de consoler, vous déclenchez une nouvelle crise. Vous essayez de vous expliquer et de vous défendre, mais vos efforts vous reviennent de plein fouet, déformés et mêlés à de nouvelles accusations. Ces échanges incohérents et désagréables sont symptomatiques d'une famille malheureuse. De ce point de vue, la citation de Tolstoï pourrait être transposée, comme

Nabokov l'a fait, car toutes les familles malheureuses se ressemblent beaucoup[1].

Ces descriptions du dilemme posé par la mère toxique semblent désagréablement familières. Que le fils ou la fille ait 6 ou 60 ans, ils décrivent un environnement relationnel dans lequel les besoins du parent sont prioritaires et la volonté de l'enfant est liée au bon vouloir du parent. La mère toxique se servira probablement du besoin permanent d'attention, d'amour, d'approbation et d'intérêt de son enfant pour le contrôler ou le manipuler et elle utilisera les tentatives faites par ce dernier pour redonner forme à leur relation en les retournant comme des armes contre lui.

Une fois que le dilemme est ancré dans la relation, il suffit d'un mot ou d'un geste pour le faire éclater au grand jour. Vous passez alors à la vitesse supérieure en franchissant un palier que vous reconnaissez instinctivement. Vous êtes prêt à vous défendre et à apaiser, ou à reculer en quittant la pièce ou en faisant le vide en vous. Sa colère, ses exigences ou sa désapprobation exigent toute votre attention. Quoi que vous prévoyiez, de quelque humeur que vous soyez, quelles que soient vos préoccupations intimes dans les moments qui précédaient la crise, vous devez les réévaluer. Si votre mère n'est pas apaisée, si ses ordres ne sont pas obéis, si ses besoins ne sont pas satisfaits, vous êtes confronté aux ténèbres de l'abandon, à la terreur de l'attaque. Vous pouvez vous sentir « envahi » par sa voix, tétanisé par ses exigences, troublé par un

1. Vladimir Nabokov, *Ada*.

barrage de « raisonnement » qui manque de cohérence, mais qui est suffisamment insistant pour être entendu. Bien que vos objectifs soient réduits à la survie émotionnelle face à la crise actuelle, vous ressentez de la colère et vous souhaitez ardemment changer ce système d'interaction pour être entendu, pour pouvoir exprimer votre point de vue et faire valoir vos sentiments.

Mais vous ravalez vos espoirs et vous les enfermez au plus profond de vous. Vous savez probablement quelle serait l'issue de toute tentative de négociation. Ce n'est pas vous mais votre mère qui décide de la façon dont les choses doivent être interprétées. Lorsque vous exprimez votre opinion, vous attisez les flammes de la discorde. Si votre point de vue est incompatible avec le sien, le vôtre doit être réduit à néant. Si vous essayez de défendre votre position, vous vous exposez à la dérision ou au ridicule. Vos tentatives pour vous défendre et vous justifier, vos appels à la mansuétude, vos envies d'indépendance, sont autant de cibles pour ses attaques. Elles font naître un frisson de rage ou de désespoir et sont autant de preuves que vous avez tort et qu'elle a raison. La communication ne passe plus. Quoi qu'elle fasse, vous le méritez. Quelles que soient ses exigences, elles sont justifiées.

Comme c'est différent des relations positives qui lient la plupart des couples mère-enfant ! Chacun se soucie de l'autre, actualise ses informations et explore le monde intérieur de l'autre. Normalement, cette relation intime est à la fois active et flexible. Apprendre à vivre avec d'autres personnes implique de prendre conscience que l'on influence leurs réactions et leurs opinions à votre propos. Cette dynamique joue un rôle important dans ce qui fait la réalité d'une relation et dans la façon dont nous développons notre personnalité. Les réactions d'autrui nous communiquent des informations sur qui nous sommes, mais nous leur donnons aussi des informations, qu'ils nous renvoient pour nous montrer qu'ils nous comprennent. Au contraire, dans un environnement relationnel toxique, nous sommes à l'écoute d'une autre personne non pas parce que cela nous vaudra une récompense, mais parce que nous sommes sur nos gardes : « Ai-je des problèmes avec cette personne ? », « Ai-je fait quoi que ce soit pour nuire à cette relation ? », « Va-t-elle me faire du mal ? ».

On oublie parfois que la mère toxique excelle à rendre ce dilemme encore plus épineux. Peut-être semble-t-elle s'être radoucie : sa colère s'est dissipée ; elle paraît moins inflexible, prête à apprécier pleinement votre réussite et à reconnaître votre point de vue. Alors vous l'approchez la joie au cœur ; cette fois-ci peut-être parviendrez-vous à susciter une réaction positive. Lorsque vous échouez, qu'elle vous ignore ou vous condamne, vous en concluez que vous n'êtes pas en mesure de modeler cette relation. Ses réactions biaisées, son manque d'intérêt, son incapacité à saisir vos signaux émotionnels sont déconcertants et frustrants. Au premier stade de la réaction, vous perdez confiance en votre point de vue. Vous perdez foi en votre capacité à exprimer vos sentiments. Vous renoncez tout bonnement à vous faire connaître, vous mettre en valeur, vous faire comprendre. Vous renoncez à faire valoir vos besoins. Piégé par l'épineux dilemme, vous cessez de vous soucier de vos propres pensées et sentiments.

Au second stade, vous vous accrochez à des schémas d'interaction qui, par le passé, ont déjà généré des récompenses et moins de punitions. Lorsqu'elle réagit uniquement si vous gardez le silence, si vous êtes dépendant, si vous échouez ou si vous réussissez, vous développerez uniquement ces rôles et ces qualités. Vous demeurerez en alerte pour déceler les signes indiquant que le dilemme revient au premier plan.

Enfin, vous perdez tout espoir de faire entendre votre voix dans la relation. Vous vous concentrez sur la satisfaction des conditions du dilemme. Vous vous adaptez pour apaiser la colère de votre mère ou maîtriser votre peur de sa colère en vous repliant sur vous-même. Vous en arrivez à être prêt à satisfaire ses moindres demandes ou vous semblez vous y plier tout en préparant secrètement votre fuite et votre vengeance. Vous vous montrez parfaitement compétent pour satisfaire aux besoins de votre mère tout en vous sentant vulnérable. Vous renoncez à réussir parce que vous avez appris que cela menace votre mère ou vous devenez exceptionnellement doué. Vous parvenez à vivre au quotidien avec une mère toxique, mais vous prenez grand soin de choisir ce que vous montrez de vous-même.

CINQ SCHÉMAS FRÉQUENTS DE TOXICITÉ

Quiconque a grandi dans un environnement relationnel toxique reconnaîtra instantanément ce dilemme. Bien que le contexte spécifique soit propre à chaque individu, la confusion, la coercition et un certain chaos en sont les caractères communs. Même si nous ne parviendrons jamais à gommer notre passé, réussir à distinguer les grandes lignes directrices des relations interpersonnelles toxiques aide à les comprendre et, en les comprenant, on peut vaincre leur pouvoir dévastateur. Il y a cinq catégories de « mères toxiques » et d'environnements relationnels toxiques générés par notre expérience d'un dilemme central. Chaque catégorie a des styles distinctifs de contrôle, des justifications, des exigences et des menaces spécifiques.

- **Colère**

Le moyen le plus fréquent et le plus direct pour imposer un dilemme relationnel toxique passe par la colère. Le parent se sert de la colère pour contrôler, menacer et influencer l'enfant.

Il arrive à tous les parents de se mettre en colère et la grande majorité des enfants sont perturbés par la colère de leur parent, qu'elle soit occasionnelle et passagère ou fréquente et tenace. Les parents se fâchent lorsqu'ils sont fatigués, stressés, qu'ils ne savent plus quoi faire pour gérer l'enfant. Ils peuvent faire semblant de se fâcher pour obtenir une réaction rapide quand un enfant se met en danger. « Ne touche pas ! », crie le parent quand l'enfant tend la main vers le manche de la casserole sur le feu. L'enfant pleure de peur au ton de la voix du parent, inconscient d'avoir échappé de peu à une grave brûlure. La colère signale aussi la désapprobation ; c'est une forme primitive d'enseignement moral. Le ton sombre d'une voix en colère veut dire : « C'est mal » et « Je ne suis pas d'accord ».

La colère fait partie de toute vie de famille ordinaire. Comme les enfants trouvent que la colère du parent est très désagréable, ils essayent de savoir ce qui la déclenche. C'est l'un des moyens à leur disposition pour se familiariser avec les nombreuses facettes du comportement acceptable. Ils s'entraînent à gérer la colère du parent en montrant qu'ils sont tristes ou contrits, ou ils usent de leur charme pour la faire disparaître. La colère fait partie de leurs habitudes de jeu : la poupée ou le personnage des histoires qu'ils inventent crie, se fâche et menace avant de se battre ou se réconcilier. Les enfants parlent de personnes « en colère » ou « fâchées », qui « se comportent mal ». La colère – la leur et celle de leurs parents – doit être prise en compte et gérée.

Mais quand la colère d'un parent est violente et imprévisible, l'enfant ne peut pas apprendre de règles pour l'éviter. Dans certains environnements relationnels, la colère domine les interactions parent-enfant. Dans ce cas, qu'elle soit latente ou active, la colère est omniprésente. Les enfants sont toujours à l'affût d'explosions émotionnelles. Ils ne parviennent pas à rationaliser la relation entre leur comportement et la colère du parent – et souvent, il n'y en a aucune, car, sous le prétexte d'une punition raisonnable ou de la discipline, le parent peut se servir de l'enfant pour évacuer sa propre rage contenue qui est en fait davantage liée à sa vie qu'aux agissements de son enfant. Le parent dira : « Je suis fâché parce que tu t'es mal comporté », mais en vérité l'enfant est simplement l'exutoire de la frustration et du mécontentement du parent.

Le stress prolongé provoqué par la colère imprévisible du parent exerce un impact physiologique sur l'enfant en abaissant à son tour sa tolérance au stress. Quand un enfant est constamment submergé par l'anxiété, son jeune cerveau forme moins de circuits mentaux nécessaires à la régulation des états émotionnels. Par conséquent, ces mêmes enfants qui auraient le plus besoin d'apprendre à se réconforter et à contrôler leurs réactions sont sans doute les moins bien armés pour y parvenir. À long terme, le stress est toxique pour le jeune cerveau et altère sa principale tâche, à savoir apprendre à intégrer et réguler les pensées et les émotions.

L'enfant peut se défendre par dissociation. La pensée « Maman est fâchée » est déconnectée de tout sentiment. La douleur infligée par la colère du parent – associée à la désapprobation, à la menace implicite de l'abandon et aux signaux de danger – est gérée en édifiant un « mur de pierre » : transforme-toi en un mur de pierre et tu ne ressentiras rien. Mais quand tu deviens un mur de pierre, tu ne peux plus comprendre ni même admettre tes propres sentiments.

L'enfant peut aussi rester constamment à l'affût de la colère de sa mère. Le danger est omniprésent.

Malgré la sécurité apparente du foyer, il se sent démuni face aux attaques imprévisibles. Il en résulte un sentiment écrasant de honte né de la croyance que cette souffrance est méritée. Certains enfants qui voient leur mère submergée par la colère sont incapables de maîtriser leurs propres émotions. Un état prolongé de grande excitation – provoquée par le sens du danger – diminue la capacité de l'enfant à se connaître et à connaître les autres.

- **Contrôle**

La mère toute-puissante appartient à la seconde catégorie des mères toxiques. Tous les parents doivent gérer leur enfant, l'éduquer et influencer son comportement. L'enfant a besoin que ses parents lui disent ce qui est bien et ce qui est mal, qu'ils identifient ce qui est tolérable et ce qui est répréhensible. L'enfant a besoin que ses parents l'accompagnent au cours de son apprentissage de la frustration et de la déception. Élever un enfant implique beaucoup de contrôle et de persuasion, mais il y a une différence entre le contrôle exercé sous la forme d'une discipline et d'une socialisation nécessaire et celui qui ronge l'individualité de l'enfant.

La mère toute-puissante a des attentes extrêmement précises sur qui l'enfant doit être et ce qu'il doit (ou ne doit pas) faire, penser et ressentir. La mère toute-puissante met souvent son inflexibilité sur le compte de sa certitude et de son rôle de conseil. Mais l'inflexibilité est destructrice lorsqu'elle est imbriquée à la structure des interactions mère-enfant, où la mère détient la seule autorité sur la légitimité des expériences personnelles de l'enfant. Une mère inflexible peut en référer à de grands principes quand elle refuse d'écouter son enfant ou d'évoluer à son contact. Mais en fait elle réfute les expériences et les connaissances de son enfant.

Pour satisfaire au contrôle exercé par sa mère, le fils ou la fille peut réprimer ses propres pensées et émotions, et même son propre sentiment d'être une personne éprouvant des désirs et des besoins personnels. Les choix perdent toute raison d'être parce que, si l'enfant agit en fonction de ses préférences, il menace sa relation avec sa mère. L'enfant ne voit pas l'intérêt d'identifier ses propres désirs, parce qu'ils n'ont aucune importance pour la personne qui en a le plus.

L'inflexibilité de la mère rend toute communication impossible ou hors de propos. Certains individus trouvent une autre oreille attentive et apprennent la réflexion de soi et l'expression de soi par le biais de relations étroites avec d'autres personnes, comme le père, un frère ou une sœur, un ami, un enseignant ou l'élu de leur cœur. Mais il subsiste un terrible sentiment de trahison : « Pourquoi ma mère, dont les réactions signifient tant pour moi, refuse-t-elle de m'écouter ? », « Pourquoi ma mère, qui affirme pourtant m'aimer, essaye-t-elle de faire de moi quelqu'un que je ne suis pas ? ».

• **Narcissisme et envie**

Les troisième et quatrième catégories de mères toxiques comprennent deux états d'esprit liés : le narcissisme et l'envie. Dans un environnement narcissique, la mère impose à son enfant de devenir un miroir qui la flatte et la glorifie. L'enfant est apprécié dans la mesure où il soutient l'amour-propre chancelant de sa mère. Le dilemme est le suivant : « Soit tu m'admires et tu confirmes tous mes fantasmes grandioses, soit je te considère comme un minable qui ne m'est d'aucune utilité. » L'enfant renonce à ses propres besoins et devient le faire-valoir de sa mère. Ou bien il se voit confier la mission de satisfaire par procuration les besoins narcissiques de celle-ci ; mais, comme ces besoins sont irréalistes et changeants, nulle réussite ne saurait la satisfaire. Dans ce rôle, l'enfant se considérera sans doute toujours comme un échec.

L'envie est l'une des réactions maternelles les plus déconcertantes et les plus perturbantes pour l'enfant. Quand il est confronté à ce dilemme, la réussite de l'enfant menace la relation. L'envie est une réaction étrange, souvent méconnue, qui naît du ressentiment face au bonheur ou à la réussite d'autrui. La joie ou l'imagination de l'enfant peut susciter l'envie de sa mère autant que sa réussite. Les pensées non verbalisées de sa mère sont : « Pourquoi devrait-il être heureux alors que je ne le suis pas ? », « Pourquoi devrait-il faire preuve d'imagination et de curiosité quand ma vision est si limitée ? », « Pourquoi devrait-il avoir la chance d'être optimiste alors que je me sens si frustrée ? ». Comme l'envie est généralement dirigée vers une personne à qui nous nous comparons, une fille fait davantage l'objet de l'envie de sa mère qu'un fils. « Elle n'a pas le droit d'être contente d'elle si je n'y prends aucun plaisir moi-même. »

Voilà l'attitude sous-jacente à l'envie. Quand l'enfant réalise que le parent ne se réjouit pas de ce qui le réjouit lui, cela jette un froid sur tout plaisir.

- **Négligence**

La cinquième catégorie de mères toxiques regroupe diverses formes de négligence. Par négligence, on entend un vaste éventail de comportements. Il y a la négligence par omission, par laquelle le parent manque d'intérêt envers l'enfant. Il y a les cas extrêmes de négligence aux soins donnés à l'enfant et qui impliquent la cruauté systématique, comme la privation de nourriture, de liberté de mouvement, le manque d'éducation et de soins médicaux. La négligence peut naître de l'addiction ou de la toxicomanie de la mère. L'enfant vit alors dans le chaos, car les besoins insatiables de la mère régissent leur vie quotidienne. Dans ce cas, le dilemme est : « Soit tu t'occupes de moi et tu veilles à tes propres besoins, soit nous serons tous réduits à néant par mes dysfonctionnements. » Les enfants qui deviennent les pourvoyeurs de soins peuvent sembler matures et calmes, mais ils sont souvent impuissants et effrayés. Ils acquièrent leur compétence au prix de leur curiosité et de leurs explorations juvéniles.

La dépression est aussi une cause de négligence. Une mère dépressive est une mère toxique parce qu'elle est désengagée et sans réaction. Ici, le dilemme peut être constitué par un fantasme de l'enfant selon lequel il devrait pouvoir redonner le moral à sa mère. Bien qu'involontairement, la tristesse ou l'incapacité de la mère pose le dilemme suivant : « Soit tu développes des stratégies pour me soigner, soit je disparais. » L'enfant peut ressentir la dépression maternelle comme une mort émotionnelle.

CONTEXTES ET CONDITIONS

Quand une relation tourne mal, il est peu probable que les difficultés ne soient dues qu'à un seul protagoniste. Une relation toxique émerge quand deux personnes ou davantage sont réunies, interagissent et trouvent une résonance ou une dissonance mutuelle. Une mère devient « toxique », tout comme un enfant devient « terrible », dans un contexte dynamique au cours duquel deux personnes sont passionnément liées l'une à l'autre, influencent les réactions l'une de l'autre et les interprètent de diverses façons. La personnalité et les habitudes de certaines mères augmentent la probabilité qu'elles aient une relation toxique avec un enfant, mais il n'est pas rare que deux enfants ayant la même mère vivent leur relation de façon très différente. L'un garde son calme face aux éclats de la mère tandis que l'autre se recroqueville de peur. L'un provoque la colère et l'intolérance de sa mère tandis que l'autre suscite l'empathie et la patience. La mère peut exiger la soumission de sa fille, mais pas celle de son fils ; elle peut pousser un enfant à se conformer strictement à ses attentes ambitieuses tout en autorisant un autre à agir à sa guise. La mère peut attendre d'un enfant qu'il soit son pourvoyeur de soins tandis qu'elle offre son soutien à un autre. La même mère peut être toxique ou suffisamment bonne avec ses différents enfants.

Le sexe, la personnalité, le rang de naissance influencent ce lien interactif et complexe. Les gènes, aussi, jouent un rôle dans l'environnement émotionnel. Un enfant qui a le gène du « robuste pissenlit » pourra résister aux humeurs, à l'inconstance et à la désapprobation d'un parent, alors que sa sœur qui a le gène de l'« orchidée » sera plus vulnérable à des circonstances difficiles. L'enfant peut être extrêmement sensible à la peur, de sorte que les moindres signes de colère provoqueront une grande anxiété. L'environnement émotionnel varie énormément d'un enfant à l'autre, même s'ils ont la même mère.

Les mères changent aussi. L'une peut entretenir un environnement émotionnel agréable pour un enfant de 4 ans qui demeure obéissant et avide de plaire, mais sera une mère toxique pour un adolescent de 14 ans qui la critique et l'affronte. L'autre peut apprécier, faire confiance et soutenir sa fille de 30 ans, mais quand cette même fille avait 15 ans, le manque de confiance en soi de sa mère déclenchait sa colère et un besoin de tout contrôler. Toutefois, certaines relations restent toxiques toute la vie. Des relations qui étaient difficiles au cours d'une phase seulement de la vie de l'enfant peuvent exercer un effet permanent. La mort de la mère ne libère pas toujours l'enfant des contraintes et de la douleur du dilemme qu'elle imposait.

La qualité de la relation avec notre mère influe sur notre bien-être longtemps après notre départ de la maison familiale, longtemps après que nous volons de nos propres ailes. Même si les expériences toxiques vécues pendant l'enfance restent enfouies en nous, elles ne déterminent pas indéfiniment nos émotions, nos schémas de pensée ou notre vie intellectuelle. Bien des personnes qui ont eu des relations très toxiques avec leur mère sont brillantes. Elles acquièrent de la confiance et de la compétence dans de nombreux domaines de la vie. Beaucoup de gens ont développé ces compétences à cause d'une relation toxique avec leur mère. Il est aussi probable que ces personnes doivent lutter avec de forts sentiments de colère et de protestation qu'elles savent instinctivement être fondés, mais qu'intellectuellement elles n'ont pas envie d'explorer et d'accepter. Le combat pour donner un sens et pour verbaliser ces expériences est souvent compromis par l'incohérence qui accompagne si souvent les relations toxiques. Il est parfois préférable qu'une personne ignore un problème plutôt qu'elle ne l'affronte dans la confusion. L'objectif de ce livre est d'expliquer et de présenter de nouvelles pistes de réflexion sur d'anciennes blessures et de montrer qu'à tout âge il est possible de mettre en œuvre de nouvelles stratégies de gestion de cet épineux dilemme.

2

EXPLICATIONS SCIENTIFIQUES DU POUVOIR DE LA MÈRE

LE JEUNE CERVEAU

Quand nous avons le sentiment que notre mère est toxique, c'est en corrélation avec l'importance qu'elle revêt à nos yeux. Notre vision et notre perception sont influencées par l'opinion que notre mère a de nous. Nos attentes du comportement d'autrui vis-à-vis de nous sont en partie fonction de nos premières interactions avec les membres de notre famille proche. Des découvertes récentes sur le cerveau ont permis de mieux cerner la très forte influence de la mère. La relation avec cette dernière est érigée en modèle pour toutes les relations intimes. Elle forge les circuits cérébraux du nourrisson – des circuits qui servent à comprendre et à gérer nos propres émotions et à « lire » les pensées et les sentiments d'autrui. Quand nous comprenons de quelle façon notre personnalité se développe en relation avec notre mère, nous comprenons aussi pourquoi nous avons l'impression de perdre la tête et de perdre nos repères quand cette relation est toxique.

De tout temps et dans toutes les cultures, les nourrissons se lient intimement avec les personnes qui s'occupent d'eux ; et de tout temps et dans toutes les cultures, c'est la mère qui présente au bébé le monde interpersonnel de l'amour et de la dépendance. Une mère et son nouveau-né se regardent les yeux dans les yeux et échangent mutuellement des regards. Ce premier contact visuel prolongé est si important pour le cerveau humain en devenir que l'évolution n'a rien laissé au hasard. Un réflexe reptilien fait que le bébé se tourne pour regarder le visage de sa mère.

Jusqu'à récemment, des soi-disant experts affirmaient que les nourrissons ne pouvaient pas vraiment voir leur mère et qu'ils n'avaient pas la moindre idée de qui était qui pendant des mois voire des années après leur première présentation captivante à leur mère ; mais de nouvelles découvertes ont démontré qu'il en va tout autrement. Les zones du cerveau dont les adultes se servent pour reconnaître et réagir aux visages sont actives dès la naissance. À partir du moment où un bébé regarde sa mère dans les yeux, il voit une personne qui exprime des sentiments et dont les expressions interagissent avec lui. Cette interaction déclenche un afflux hormonal qui inonde l'enfant de plaisir. Ces « opiacés endogènes » – des substances chimiques produites naturellement qui bloquent la douleur et procurent du plaisir – sont des « drogues » saines. Elles récompensent le nourrisson qui apprend ses premières leçons sur les relations interpersonnelles vitales.

La vue n'est qu'un déclencheur pour la libération de ces substances chimiques procurant du plaisir.

Les nouveau-nés orientent leur tête vers le son de la voix de leur mère, et ils apprennent rapidement à en reconnaître et en suivre le ton et le rythme. Ils fixent plus longtemps un objet s'il a l'odeur de leur mère. L'instinct qui fait que la mère tient son bébé du côté gauche (qui est relié au côté droit de son cerveau) facilite la communication de son hémisphère droit avec celui de son enfant[1], cet hémisphère étant spécialisé dans le moi émotionnel. Quand elle berce son bébé sur le côté gauche, elle communique avec le cerveau droit du nourrisson et le comportement de ce dernier stimule le cerveau droit de sa mère. Même des expériences négatives de peur peuvent stimuler positivement la croissance émotionnelle du bébé ; quand le système « se battre ou fuir » est activé, la fréquence respiratoire augmente en même temps que la fréquence cardiaque et la pression sanguine ; mais quand la mère apaise son bébé agité, il sent le flux d'émotions négatives et il appréhende pour la première fois la tâche cruciale qu'est la régulation de ses propres émotions.

APPRENDRE ET AIMER

Nous vivons en relation avec notre mère dès la naissance, quand nous ressentons au plus profond de nous-mêmes des émotions suscitées par le fait

1. La théorie de la communication des hémisphères droits a remplacé la croyance selon laquelle les mères tiennent leur bébé du côté gauche (que la mère soit droitière ou gauchère) parce que le bébé est apaisé par les battements du cœur de sa mère. On a remarqué que les mères qui portaient leur bébé du côté droit pouvaient être stressées, voire souffrir de dépression post-partum.

d'être porté, nourri, consolé et réchauffé. Mais nos expériences vont bien au-delà de ces détails pratiques, car les nourrissons perçoivent aussi les réactions de leur mère face à leurs états intérieurs. C'est le début de notre compréhension de l'esprit – le nôtre et celui d'autrui.

Parmi nos besoins rudimentaires, il y a la nécessité de comprendre les réactions d'autrui à notre égard. Avant même que les bébés ne marchent ou ne progressent à quatre pattes, ils peuvent faire la différence entre des expressions de bonheur, de tristesse et de colère. Ainsi, ils peuvent reconnaître qu'un visage heureux affichant un sourire et des yeux plissés accompagne le pépiement d'un ton de voix heureux. Le cerveau du nouveau-né, qui est prêt à suivre, absorber et apprendre du contact humain, subit une poussée de croissance au cours des dix-huit premiers mois de la vie au bout desquels l'hémisphère droit du cerveau forme les passerelles nécessaires à l'apprentissage social et émotionnel.

Il n'y a pas que le cerveau du nourrisson qui évolue. Quand la mère interagit avec son bébé, le cerveau maternel est aussi stimulé pour se développer et apprendre. On dit souvent que les mères de nouveau-nés sont obnubilées par leur bébé. Autrefois, leur « monomanie » était attribuée aux hormones de la grossesse, mais de nouvelles techniques d'imagerie cérébrale ont montré les transformations provoquées dans le cerveau par l'interaction avec des nouveau-nés. L'activité cérébrale du parent présente notamment un schéma particulier en réaction aux pleurs et aux rires du bébé. De plus, les structures cérébrales complexes qui contrôlent nos émotions – le système limbique – évoluent quand nous nous comportons en tant que parents. Ces changements stimulent la capacité de la mère à lire les moindres signaux émis par son bébé.

En interagissant, la mère et le bébé acquièrent une certaine intelligence. Dans les situations saines, chacun est absorbé par les soupirs, les sons et les mouvements de l'autre ; chacun a soif d'apprendre le langage de l'autre. Leur lien est tellement fort qu'il a été décrit comme une danse fluide et complexe[1] dont les partenaires apprennent à se connaître mutuellement et à se connaître eux-mêmes à travers l'autre. La psychologie humaine telle que nous la connaissons plonge ses racines dans cette relation primaire. Le lien passionné et captivant avec le pourvoyeur de soins primaires, qui est très souvent la mère, est la première expérience qu'a le nouveau-né de l'amour et du fait d'être l'un des protagonistes d'un couple amoureux.

ÉCHANGE DE REGARDS ET FLIRT AVEC LA MÈRE

Dans les films montrant des mères avec leur bébé, on peut voir de longues séquences d'interactions, de contacts, de stimulations et de plaisirs qui forment les premières « conversations » interpersonnelles. Les protagonistes se regardent comme des amoureux transis, avec les « yeux de l'amour ». L'échange de regards produit un rapide

1. Par Daniel Stern.

afflux de bien-être que chacun ressent à la vue du visage de l'autre. Contrairement aux apparences, le babillage idiot des mères avec leur bébé est une conversation profonde. Le bébé répond par des roucoulements aux mots doux de sa mère. Il s'agite au rythme de la voix maternelle. Alison Gopnik décrit cette agitation mutuelle coordonnée comme un « flirt » : « Quand vous parlez, le bébé se tient tranquille ; quand vous vous interrompez, il s'agite à son tour en dressant ses poings et en donnant des coups de pieds… Comme le flirt chez l'adulte, le flirt chez le bébé se passe du langage et établit un lien plus direct. »

Des périodes d'exquise réceptivité aux moindres sons et gestes sont entrecoupées d'intervalles de solitude, qui ne durent parfois pas plus de quelques secondes, pendant lesquelles le visage du bébé se détourne et la réceptivité agitée reflue. Cette stimulation est fatigante et le bébé a besoin de « coupures » pour se reposer et absorber ces échanges intenses. Les mouvements des membres du bébé accélèrent, mais perdent de leur expressivité. Le rythme de la respiration du bébé change. Il fournit des efforts considérables pour sucer l'un de ses pouces et son corps soubresaute tandis que sa tête se détourne difficilement du visage de sa mère. Parfois, le dos du bébé s'arc-boute dans l'effort qu'il produit pour s'écarter. La mère perçoit généralement ces signaux qui indiquent que le bébé est fatigué. Normalement, elle se met en retrait, atténue sa présence et observe son bébé en silence jusqu'à ce qu'il lui indique par un regard, un son ou un geste qu'il souhaite se réengager.

Que se passe-t-il si la mère ne réagit pas ? Quand l'interaction normale entre la mère et le bébé est interrompue – parce que le visage de la mère est figé, fermé ou immobile –, le bébé montre des signes de perturbation au bout de quelques minutes. Même à l'âge de 2 mois, le bébé proteste en se tortillant, il s'agite et pleure si le visage de sa mère reste froid et inexpressif. Le nourrisson est désemparé parce que ses signaux sont ignorés. Il n'est pas facile de consoler le tout-petit qui a vécu cette interruption dans la conversation relationnelle.

LE POINT DE RÉFÉRENCE DE L'AMOUR

Ces premières interactions constituent un point de référence pour ce que chacun de nous recherche chez les personnes que nous aimons, à savoir être vu et compris. Certes, les relations que les enfants entretiennent avec des proches et des amis les influencent, mais l'échange de signaux émotionnels entre le nourrisson et sa mère est à l'origine du sens crucial d'être une personne qui a des sentiments, qu'elle peut communiquer à autrui. Un des problèmes de la relation avec une mère toxique réside dans la difficulté à s'engager positivement l'un envers l'autre, yeux dans les yeux. Avec une mère toxique, les efforts que nous déployons pour influencer son point de vue échouent constamment. Nous nous sentons ignorés, effacés, annihilés. Nous doutons de nous et de nos sentiments. Nos signaux sont interprétés comme étant « mauvais », « méchants » ou « égoïstes ». Nous vivons dans un univers de honte où se faire remarquer revient à s'attirer critiques et sarcasmes.

Les enfants s'efforcent de comprendre leurs expériences interpersonnelles : « Qui est fiable ? », « Qui m'offre chaleur, réconfort et nourriture ? », « Quel toucher, odeur et voix y sont associés ? ». Ces questions sont intimement liées à la survie. Tout comme le sens rudimentaire de « soi » et de l'« autre » gagne en sophistication, il en va de même pour le sens de ces questions : « Que signifie ce comportement à mon sujet ? », « La personne avec laquelle j'essaye de communiquer me comprend-elle ? », « Mes sentiments trouvent-ils une résonance chez les autres ? », « Est-ce que je communique vraiment ? ».

Nous continuons à être particulièrement vulnérables aux réactions de notre mère, même si nous développons des liens très différents avec d'autres personnes qui nous voient et nous découvrent autrement. Pour la majorité des parents et de leurs enfants, l'expérience d'appartenance les uns aux autres a des hauts et des bas mais, malgré ces heurts et ces accrocs, la relation est essentiellement réconfortante, rassurante et chaleureuse.

Et si on retirait plus de douleur que de réconfort et de plaisir d'une relation ? Et si ces expériences profondes de connexion et d'ancrage étaient si désagréables que nous sommes limités et punis quand nous recherchons le réconfort et la sécurité ? Et si nous devions nous méfier de nous-mêmes, renoncer à nos propres désirs ou surveiller nos moindres faits et gestes pour mériter le réconfort de la personne dont nous dépendons ? Quand ce dilemme modèle l'expérience que la fille ou le fils a de sa mère, j'utilise l'expression sans doute réductrice de « mère toxique » pour désigner cette relation qui a de multiples facettes, et de nombreux contextes et perspectives.

EXAMEN DÉTAILLÉ DES INSTANTANÉS DE MÈRES TOXIQUES

Nous pouvons maintenant réexaminer les instantanés de mères toxiques décrits au chapitre précédent. Dès la première lecture, on peut intuitivement y reconnaître des descriptions de mères toxiques, mais les explications fournies ici sur la façon dont les premières expériences relationnelles modèlent le centre émotionnel du cerveau permettent de mieux identifier les difficultés.

- **Instantané un : prends garde à ma colère.**

Dans cet instantané, nous avons vu Benjamin qui, à 24 ans, ne trouve « ni logique ni raison » aux humeurs de sa mère dont le caractère est « insupportable ». Il s'interroge sur « ce que ça dit de vous ».

Incapable d'anticiper ou de comprendre la colère de sa mère, Benjamin est toujours sur ses gardes. Son sens du danger est ancré dans sa dépendance passée vis-à-vis de sa mère. Pour gérer cet environnement stressant, il l'observe attentivement. Le moindre changement dans la couleur de son teint, une infime tension de ses muscles ou un rétrécissement à peine perceptible de ses pupilles lui signale l'imminence du danger. Les gens qui craignent un parent peuvent exceller dans l'art de décrypter l'état d'esprit d'autrui. Ce don est utile dans certains contextes, mais l'hypersensibilité de Benjamin envers la colère de sa mère restreint énormément leur relation.

- **Instantané deux : tu es méchant si tu ne me fais pas plaisir.**

François, âgé de 32 ans, décrit sa vie aux côtés de sa mère dont le caractère est très changeant : parfois « elle déborde de compliments. Mais si tu as le malheur de lui dire non, aussi dérisoire que soit ce non, c'est la fin du monde ». Les récriminations et les accusations fusent et elle lui reproche d'avoir un « mauvais fond ».

François est un adulte majeur et vacciné, mais la désapprobation de sa mère peut l'amener « à un endroit où les murs se refermeront sur moi ». Il ne peut pas faire état de pensées ou de désirs différents de ceux de sa mère dans une conversation (au sens large) sans être cloué au pilori.

Quand il était enfant, il regardait sa mère pour se « refléter » en elle. Son visage se durcissait-il de désapprobation quand le garçon se bagarrait avec un ami ? Était-il tendu par l'anxiété quand il courait derrière son bus ? Pouvait-il dire ce qu'il avait sur le cœur et constater qu'elle s'efforçait de le comprendre ? Comment a-t-elle réagi quand il a grandi et changé ? Ces réactions passées sont contenues dans son actuelle vulnérabilité. La désapprobation maternelle fait basculer l'image que nous avons de nous-mêmes de « bien » à « mal ». Il s'efforce donc de ne pas lui dire non.

François est confronté à un paradoxe : la personne qu'il aime lui refuse sa chaleur et son approbation s'il ne suit pas le chemin qu'elle a tracé pour lui. « J'espère qu'un jour, j'arriverai à savoir quand je peux m'exprimer et quand je dois y renoncer pour faire ce qu'elle demande. » Ce type de paradoxe a été décrit par la psychologue Carol Gilligan comme le renoncement à une relation afin de préserver la relation. Vous renoncez à une véritable communication pour un semblant de réconfort, mais vous perdez alors le confort de la véritable communication. François renonce à forger une relation dans laquelle il est vu et compris afin d'éviter les mauvais traitements.

- **Instantané trois : moi d'abord.**

Jeanne, qui a 14 ans et qui est obnubilée par la satisfaction des besoins de sa mère, a une relation harmonieuse avec elle, mais cette relation est toxique parce que la jeune fille croit que, pour préserver cette harmonie, elle doit nier ses propres besoins et réfréner ses envies. Elle ne montre qu'une version expurgée de ses sentiments à sa mère, pour le bien de celle-ci. Sa capacité à contrôler ses émotions et à montrer de l'empathie suggère que, lorsqu'elle était bébé, au moment de l'établissement des connexions neuronales de régulation du stress et de l'apprentissage des règles fondamentales de la compréhension d'autrui, son environnement relationnel était suffisamment bon. Mais nous avons besoin de l'attention et de la réceptivité de notre mère comme caisse de résonance à notre personnalité longtemps après la petite enfance.

Pendant l'adolescence, nous avons généralement grand besoin de l'attention de nos parents. La majorité des tensions fréquentes entre les ados et leurs parents surgissent quand le fils ou la fille tente de s'affirmer auprès de ses aînés : « Voici qui je suis et ce que je pense maintenant. Vous me considérez encore comme un enfant. Mais j'ai grandi et j'ai changé. » Les adolescents sont souvent enthousiasmés par leur capacité à penser par eux-mêmes, à réfléchir à des principes politiques et moraux, ainsi qu'à argumenter. Ils veulent exercer leur pouvoir sur leurs parents. Mais Jeanne décrit sa relation avec sa mère qui lui refuse cette évolution. Sa maturité apparente entraîne la forclusion de toute exploration de soi[1]. Jeanne préserve une « bonne » relation en donnant la priorité aux besoins de sa mère.

- **Instantané quatre : ton bonheur me blesse.**

Rachel a 27 ans. Elle est découragée par les réactions de sa mère face aux petits bonheurs de son existence. Le plaisir de la mère face aux marques d'intérêt, aux aptitudes et aux réussites de son enfant est crucial pour établir une relation suffisamment bonne dans laquelle l'enfant sent qu'il est sans danger de développer son moi du mieux possible. Rachel se sent trahie quand sa réussite et

1. La forclusion est la décision inconsciente d'éviter l'anxiété ou la complexité de l'exploration de soi et de l'expérimentation des rôles, qui sont des pratiques habituelles chez les adolescents, et d'endosser une identité simple et prête à l'emploi. Une personne qui opte pour la forclusion peut être brillante et sembler avoir confiance en elle, mais ses perspectives sont probablement très limitées.

son bonheur l'exposent au rejet et au ridicule. Elle remarque un changement chez sa mère : quand Rachel était enfant, sa mère se réjouissait de la voir grandir ; à 16 ans, alors qu'elle allait bientôt devenir une jeune femme, son indépendance et sa maturité lui ont valu de l'hostilité. Rachel est confrontée à un dilemme : elle peut poursuivre ses objectifs et mettre en danger sa relation avec sa mère, ou bien renoncer à ces objectifs et préserver une relation « agréable » avec sa mère.

Une fois encore, le dilemme lui offre un piètre choix : préserver sa relation avec elle-même et préserver sa relation avec sa mère. Doit-elle nécessairement changer, dissimuler ou nier qui elle est vraiment pour préserver l'harmonie apparente de la relation avec sa mère ?

- **Instantané cinq : incapacité à voir.**

Dans cet instantané, nous voyons Sonia, une jeune maman, qui tient son fils de 7 mois, Kieran, sur ses genoux, le visage du bébé est tourné ailleurs et explore le vide autour de lui. Quand Kieran se débat pour changer de position, Sonia le maintient en place en lui bloquant les bras.

À 7 mois, Kieran a toujours le réflexe inné de regarder sa mère pour explorer son visage et la voir lui rendre son regard. Normalement, cet échange de regards permet à la mère de lire les expressions rudimentaires de son bébé. Ainsi, la mère apprend à décrypter les signaux du bébé. Mais Sonia ignore le besoin de contact de son bébé. Elle l'aime et elle répond à ses besoins physiques, mais son incapacité à regarder et à lire les signaux qu'il émet risque de devenir une cause de lutte à vie pour Kieran. Ses attentes en matière d'interactions humaines seront probablement très faibles. Il risque d'avoir du mal à comprendre les autres ou à exprimer – voire identifier – ses propres pensées, sentiments et besoins. Il pourrait être anxieux et manquer d'assurance dans les relations avec des personnes proches et considérer leur valeur avec ambivalence. Quand la mère est toxique dès les premiers instants de la vie de l'enfant, celui-ci rencontrera des difficultés toute sa vie.

MENTALISATION

« Essayer de comprendre la nature humaine fait partie de la nature humaine », écrit la spécialiste de la psychologie du développement, Alison Gopnik. Nous passons une très grande partie de notre temps de veille (et de rêves) à sonder l'esprit d'autrui. Pourquoi a-t-elle agi de la sorte ? Pourquoi m'a-t-il parlé ainsi ? Disent-ils la vérité ? Essayent-ils de me rouler dans la farine ? M'aime-t-il vraiment ou fait-il semblant ? Quelles sont ses motivations ?

L'évolution explique que nous cherchions toujours à comprendre autrui. Nous sommes des créatures sociales qui dépendent les unes des autres pour leur survie. La période exceptionnellement longue de l'immaturité humaine, pendant laquelle nous dépendons plus longtemps de nos parents que la progéniture d'autres espèces, n'est pas sans rapport avec le besoin d'en savoir davantage sur les autres et, surtout, de décrypter leurs réactions. Pour comprendre les autres et en apprendre davantage sur eux-mêmes, les bébés observent, décortiquent et testent les réactions d'autrui – et leur premier centre d'intérêt est leur mère. Il nous faut de bons maîtres pour nous guider dans cet univers interpersonnel complexe, et l'une des façons dont les mères enseignent leurs états intérieurs à leurs enfants, c'est en leur présentant leurs sentiments. Ce retour important nous permet d'acquérir la compétence humaine cruciale qui se nomme la *mentalisation*[1].

Quand un bébé pleure, c'est qu'il est envahi par le désarroi et la confusion. Il est absorbé par l'expérience physique d'une sensation pénible. Tout son corps traduit ce sentiment irrépressible. Sa poitrine se soulève, il donne des coups de pieds, ses bras se tendent. Quand sa mère réagit, non pas en pleurant mais en affichant une expression d'intérêt et d'inquiétude, une expression de désarroi se peignant sur son visage – par un froncement de sourcil exagéré –, elle reflète en partie l'état d'esprit de son bébé tout en le transformant. Elle parvient à montrer qu'en réfléchissant tel un miroir les sentiments de son bébé, ce ne sont pas ses sentiments qu'elle exprime, mais ceux de son enfant qu'elle a observés.

Cette réaction complexe se nomme l'empreinte de miroir (*marked mirroring*). En faisant simplement ce qui vient naturellement aux personnes qui s'occupent d'un bébé, la mère établit une communication subtile et sophistiquée. Ses réactions faciales

1. Le concept de mentalisation a été élaboré dans une série d'articles par Peter Fonagy.

et vocales montrent qu'elle partage les sentiments de son tout-petit, non pas en les éprouvant elle-même de la façon dont le bébé les éprouve, mais en ressentant de l'empathie. Elle montre qu'elle comprend et elle exprime sa compréhension à son enfant. Initialement, le bébé exprime son désarroi par de brusques manifestations physiques. Sa mère lui représente ses sentiments – en montrant de la sollicitude, en l'imitant par certains aspects – et elle transforme son vécu en concept relatif à son état d'esprit. Sa compréhension, son attention, sa tolérance et son inquiétude sont des Lego qui lui servent à construire sa personnalité. Elle lui montre qu'il a des sentiments et qu'il vit parmi d'autres personnes qui ont aussi des sentiments et une vie mentale qui leur est propre. Ces personnes distinctes peuvent se connecter à lui et comprendre ses états intérieurs. Il peut mentaliser – c'est-à-dire réfléchir à ses propres pensées et sentiments et à ceux d'autrui – parce que sa mère lui a montré que son monde intérieur a une forme et une substance.

MENTALISATION ET INTELLIGENCE ÉMOTIONNELLE

La capacité d'une mère à comprendre les sentiments de son bébé et à réagir à ses signaux se nomme la *communion*. Aucun cerveau animal n'est aussi dépendant de cette expérience. Comme le psychiatre Thomas Lewis le fait remarquer : « L'absence de communion peut être insignifiante pour un reptile, mais elle inflige une blessure dévastatrice au nourrisson humain en demande d'interactions sociales et d'affection. » Des découvertes récentes en neuroscience ont démontré l'impact biochimique de ces premières conversations intenses. Les circuits neuronaux se développent jour après jour pour tisser la toile mentale de la communication. Ces mêmes expériences structurantes pour ces réseaux de neurones forment aussi les rudiments de ce que l'on appelle maintenant communément l'intelligence émotionnelle ou la capacité à gérer, contrôler et identifier ses émotions[1]. L'apprentissage du contrôle de ses états émotionnels est désormais considéré comme la tâche essentielle de l'enfance.

Nos émotions peuvent s'avérer terrifiantes si elles sont incontrôlées. Nous serions constamment submergés par l'anxiété, la colère et la peur si nous ne savions pas nous apaiser et nous rassurer nous-mêmes. Si nous ne pouvions pas identifier et comprendre nos émotions, nous serions à la merci de nos pulsions, dans l'incapacité de considérer d'autres moyens de résoudre nos problèmes et d'atteindre nos objectifs.

Quand nous comprenons qu'aller nous promener, manger du chocolat, regarder notre série préférée ou discuter avec un ami, nous aide à nous calmer et à retrouver notre équilibre lorsqu'une déception ou une dispute nous a bouleversés, nous nous basons sur des expériences de l'enfance. Quand nous différencions les peurs rationnelles qui nous poussent à conduire prudemment des peurs irrationnelles des fantômes, nous maîtrisons les expériences de la petite-enfance au cours de laquelle nous avons

1. Peter Fonagy parle de « régulation de l'affect » ou de capacité à gérer ses sentiments.

été effrayés puis apaisés. Nos expériences précoces avec un pourvoyeur de soins nous apprennent à passer une journée ordinaire sans être submergés par des accès de peur, d'anxiété ou de confusion.

La plupart d'entre nous surmontent aisément le stress du changement et peuvent éprouver leurs réactions immédiates à l'aune des expériences passées et de la somme des enseignements que nous en avons tirés. La plupart d'entre nous peuvent ressentir, comprendre et réagir aux émotions d'autrui – particulièrement celles de nos proches. Ces aptitudes ne sont pas innées, mais acquises, et c'est notre principal pourvoyeur de soins qui nous les a enseignées. Quand notre mère nous apaise, nous tient dans ses bras, nous parle doucement, nous passons de l'état stressé à l'état serein. Quand elle nous montre qu'elle veut connaître nos sentiments et sensations – nos besoins, la cause de notre irritation –, elle nous initie à la stimulation positive des échanges émotionnels avec autrui. Ces premières expériences cruciales forment un environnement suffisamment bon dans lequel le cerveau contrôle les vannes émotionnelles. En résumé, notre environnement interpersonnel précoce fait tampon contre les stress inévitables qui nous attendent au cours de nos vies complexes.

Le bébé qui ne bénéficie pas de cette stimulation interactive positive pourrait subir autant de mal que le bébé soumis à une maltraitance physique. Comme le cerveau du bébé maltraité, le cerveau du bébé négligé reçoit un mélange de substances biochimiques. Ce mélange nuisible empêche le développement des réseaux neuronaux qui atténuent le stress. Chaque rebuffade, chaque coup brutal entre en résonance avec d'autres expériences négatives, et chaque expérience de stress, de déception et de frustration est accablante. Un enfant privé d'interactions positives a moins de chances d'apprendre des stratégies saines pour gérer les difficultés. Un stress prolongé ne rend pas plus résistant, mais plus vulnérable. Il réduit les apprentissages du bébé et il réduit la capacité d'apprentissage de l'enfant. Si ces réseaux neuronaux déterminants ne se développent pas pendant l'enfance, le cerveau perd sa plasticité remarquable qui a normalement le potentiel d'absorber de nouvelles compétences pendant toute la vie.

Nous n'avons pas besoin d'une mère parfaitement au diapason avec nos moindres pensées et sentiments ; nous avons besoin d'une mère suffisamment bonne qui nous offre assez de compréhension pour que nous sentions que nos propres expériences sont authentiques. Même lorsque nous avons franchi ce stade déterminant pour le développement cérébral de cette relation, des interactions difficiles, perturbantes et dangereuses avec la mère peuvent affecter notre développement.

MIROIR

Nous avons vu que, pour l'enfant, le visage de la mère représente un miroir qui réfléchit ses états intérieurs. Quand elle réfléchit les émotions de son enfant, la mère montre de la gaîté, de la curiosité et du plaisir. La reconnaissance et le plaisir, l'inquiétude, la peur ou la désapprobation qui se lisent sur son visage constituent des informations cruciales pour l'enfant : « Voilà ce que signifie qui je suis et ce que j'ai fait. » Quand le visage de la mère exprime la peur, le désarroi ou la désapprobation, le point de vue de l'enfant change radicalement. La réaction de notre mère nous est rarement indifférente. Même quand nous avons atteint l'âge adulte, nous continuons à regarder cette personne si importante pour évaluer la signification de nos actes, mais la signification de ce qu'elle laisse paraître change constamment.

Quand le bébé émerge dans l'enfance et apprend à avancer sans aide, il éprouve la sécurité ou le danger de ce nouveau monde en guettant les réactions qui se peignent sur le visage de sa mère. L'enfant s'éloigne de sa mère. Tout son corps est mû par le plaisir de ses nouvelles capacités motrices. Quand il retourne vers sa mère, il s'attend à voir sa joie se refléter sur le visage maternel. Il pleure de désarroi et perd son équilibre si, au lieu de cela, il y voit de l'inquiétude. Quand il tombe, le choc physique n'est qu'une des causes de ses pleurs ; la vraie peur est déclenchée par la frayeur qu'il lit sur le visage de sa mère.

L'enfant aime montrer ses compétences croissantes, mais sa joie peut être ébranlée par la désapprobation ou le regard inquiet de son parent : « Est-il bien prudent que je m'éloigne ? », « Est-ce que je parviendrai à retrouver mon chemin ? », « Mes nouvelles compétences te font-elles plaisir ou te chagrinent-elles ? ». Voilà quelques-unes des vastes questions que l'enfant se pose quand il examine le visage maternel. Un enfant reçoit des informations sur son caractère, sa valeur, ses aptitudes, ses désirs et ses objectifs de la part d'autres membres de la famille. Les grands-parents, frères et sœurs, cousins, amis, enseignants et voisins influent sur la personnalité de l'enfant, mais l'importance particulière du regard de la mère plonge ses racines dans la relation précoce et formatrice pour l'esprit par laquelle les réactions maternelles donnent un sens aux faits et gestes de l'enfant.

Quand s'achève l'enfance, la nature du miroir maternel change. Certains enfants et de nombreux adolescents paraissent indifférents à l'approbation ou à la désapprobation de leur mère. Mais, malgré leur bravade, peu d'adolescents cessent effectivement de se soucier de l'opinion maternelle. Ils continuent à l'observer attentivement et à lire ses réactions. Ils essayent aussi d'influencer sa compréhension et son jugement à leur sujet. Les enfants ne sont pas des bénéficiaires passifs des réactions de leur mère. Ils s'efforcent d'influencer la vision et les réponses maternelles. En grandissant, les enfants mettent en œuvre des stratégies délibérées pour montrer à leur mère qu'ils ont évolué par rapport au petit enfant qu'elle pense connaître. Les adolescents se voient comme des personnes complexes, ayant des pensées et des sentiments indépendants et inattendus. Même si avoir son propre espace et sa vie privée prend une importance croissante, ils veulent aussi que leur parent les comprenne, les « voie » et les respecte.

Les disputes entre parent et adolescent sont souvent dues au besoin qu'a l'adolescent de « rappeler son identité » afin d'apprendre à son parent à être un meilleur miroir. Ces rappels à l'ordre peuvent manquer de subtilité et prendre la tournure caractéristique des relations parent-adolescent. « Contrairement à ce que vous pensez, je ne suis plus un enfant » et « J'ai de nouvelles compétences que vous n'avez pas pris la peine de remarquer » sont les messages implicites qui modèlent les disputes parent-adolescent.

Ces efforts se heurtent à des embûches et à des frustrations. Les adolescents peuvent penser que leur mère n'apprend pas vite, qu'elle ne voit pas ou ne comprend pas ce qu'elle a sous les yeux. Les plaintes concernant la mère peuvent parfois provenir d'anciennes réactions suffisamment bonnes qui ont établi des attentes élevées concernant son intérêt et sa résonance. Des remarques comme « Elle ne me comprend pas » et « Elle n'écoute pas » peuvent être issues d'un niveau très élevé qu'elle aura elle-même instauré au fil de la relation. Les disputes avec la mère sont souvent des tentatives pour arracher d'elle cette attention et cette compréhension particulières dont nous continuons à dépendre, d'une certaine façon, bien après que son miroir initial et sa représentation de nos états intérieurs ont imposé leur marque sur notre développement cérébral[1].

La combativité des adolescents est souvent motivée par l'espoir que la compréhension et l'appréciation de leur parent s'améliorent. Les enfants

1. Les adolescents, aussi bien les filles que les garçons, ont tendance à avoir plus d'interactions, et donc de disputes, avec leur mère qu'avec leur père.

n'ont pas besoin d'une relation non conflictuelle pour s'épanouir, mais ils ont besoin d'une relation dynamique et vitale, à laquelle ils peuvent donner un sens et qu'ils peuvent influencer. En grandissant, quand devenir une personne à part entière est une priorité, ils ont besoin d'une caisse de résonance, même pour leurs pensées et leurs sentiments les plus intimes. Quand une mère s'adapte trop lentement à l'évolution de la personnalité de son enfant, l'adolescent est contrarié car il souhaite améliorer les réactions maternelles, réactions qui demeurent si importantes à ses yeux. Cette relation en perpétuelle évolution se déroule rarement sans heurts. Les frustrations et les désagréments sont inévitables. Ce qui nuit à une relation, ce n'est pas la brutalité de l'ajustement, mais d'être puni et méprisé pour avoir essayé de négocier une relation plus satisfaisante.

COMPRENDRE

Nos premières leçons de vie vont au-delà de l'apprentissage de la survie. Elles englobent l'apprentissage de la communication de nos sentiments et besoins à autrui. Elles incluent l'apprentissage du fait que les principaux pourvoyeurs de soins disposent d'un vaste répertoire de réactions qui nous aident à nous comprendre. Ces premières expériences forment un schéma pour la connaissance d'autres personnes et leur reconnaissance. Nous voulons être compris ; nous voulons l'assurance de pouvoir communiquer avec autrui ; mais, surtout, nous nous attendons à ce qu'une personne qui tient à nous essaye de nous cerner. Elle observera attentivement ce qu'elle voit, cherchera d'autres signes si elle ne comprend pas. Nous nous attendons à ce qu'une personne si investie dans notre développement suive et s'adapte à notre évolution. Nous espérons que son profond engagement envers nous servira à nous encourager et à nous apprécier plutôt qu'à nous contrôler et à nous critiquer.

Les humains s'efforcent constamment de comprendre le comportement d'autrui. C'est un besoin en partie issu de l'évolution qui impose d'anticiper les agissements de l'autre, mais cela va au-delà de la survie physique. Dans une relation significative, nous nous sentons pris à contre-pied et contraints quand quelqu'un mésinterprète et déforme constamment nos intentions et notre caractère.

Pendant l'enfance, nous nous épanouissons au contact de la joie de nos parents à notre égard et nous nous sentons diminués par leur désapprobation. En général, nous comprenons les différentes réactions parentales et nous apprenons ce qui est acceptable et ce qui ne l'est pas. Nous apprenons aussi à nous défendre, à expliquer nos motivations et à influencer le point de vue d'autrui envers nous. Mais quand notre parent affirme savoir parfaitement qui nous devons être et ce que nous devons faire, ou quand l'appréciation de notre parent est essentiellement basée sur ses propres besoins, alors nous sommes confrontés à un terrible dilemme. Il nous faut choisir entre accorder de la valeur à nos propres besoins, développer nos propres pensées et identifier nos propres émotions d'un côté, et préserver une relation significative avec notre parent de l'autre.

Une mère qui impose ce dilemme n'est souvent pas consciente des conditions précises qu'elle dicte. Elle peut être débordée par ses propres besoins ; sa vision rétrécit et exclut le point de vue de son enfant. Enfant, elle peut avoir subi un stress prolongé dû à la négligence ou la maltraitance qui l'a rendue incapable de gérer ses propres émotions ou réactions face à son enfant. Son fils ou sa fille peut être la seule personne qui « entende » son désespoir ; elle en vient alors à dépendre de son enfant et à le considérer comme son pourvoyeur de soins. Elle peut se sentir elle-même si impuissante qu'elle manipule, terrifie ou contrôle son enfant simplement pour exercer un pouvoir quelconque sur son monde.

Comprendre les difficultés de sa mère ne facilite pas la tâche à l'enfant. Pour lui, le dilemme – « Soit tu développes des mécanismes complexes et contraignants pour préserver une relation avec moi, au prix de ton opinion, de ton imagination et de tes valeurs, soit tu seras ridiculisé ou tu subiras ma désapprobation ou mon rejet » – est une question de vie ou de mort. Au cours de nos premières années, quand notre univers est centré sur les sentiments et le comportement de nos parents, nous avons autant besoin de l'amour et de la reconnaissance maternelle que du gîte et du couvert. Pendant cette période, notre cerveau social acquiert les schémas des attentes, des interprétations et du contrôle émotionnel qui nous suivent jusque dans notre vie adulte. Les enfants plus grands, les adolescents et les adultes qui ne sont plus strictement dépendants de leur mère peuvent continuer à penser, ressentir et réagir en fonction de schémas instaurés dans le contexte de la vulnérabilité passée. Ils amènent leur environnement relationnel toxique avec eux. Les séquelles laissées par une mère toxique sont durables. Mais nous pouvons apprendre à y survivre, à les gérer et, parfois, à en profiter.

3

LA MÈRE EN COLÈRE

LA FORCE DE LA COLÈRE

Quand j'étais enfant, les cris de ma mère s'enfonçaient au plus profond de mon être. Bien que les agressions physiques – généralement sous la forme de fessées « bien méritées » – étaient rares, ses yeux me transperçaient. J'étais anéantie, je n'avais nulle part où me cacher quand sa colère était à son apogée. Longtemps après le retour de l'accalmie, alors que ma mère était tout sourire, je pouvais sentir la présence de sa colère, qui en est venue à modeler tous les aspects de notre relation.

Pour ma mère, sa colère était normale ; elle était exercée au nom de l'amour. Elle la considérait comme une expression nécessaire de son devoir de parent. Elle expliquait que sa colère exceptionnelle provenait de son niveau d'exigence extrêmement élevé. Si elle criait plus que les autres mères, c'était parce qu'elle savait mieux que quiconque ce qui était bien et ce qui était mal. Elle inculquait des leçons importantes à son enfant. Ce n'était pas un parent « paresseux », comme tant de parents. Sa colère explosive prouvait à quel point elle prenait mon éducation à cœur.

Je n'étais pas la seule à subir la violence de sa colère. N'importe quelle course dans un magasin, dîner au restaurant, travaux à la maison, allaient certainement être l'occasion de révéler Dieu sait quel acte criminel, et elle se faisait un devoir de demander des comptes au coupable. Elle améliorerait la situation dans le monde en veillant à ce que les gens ne « s'en tirent pas comme ça ». Elle espérait que, la prochaine fois, ils « s'abstiendraient de ce type de comportement ». Je voyais bien que pour le vendeur, le serveur ou le plombier, elle était « pénible » ; mais pour eux l'épisode se terminerait avec la fin du service. Tandis que pour moi sa colère était au programme de chaque journée.

Ma mère n'était pas fâchée en permanence. Un récit objectif montrerait que les crises pouvaient être comptées sur les doigts de la main au cours d'un mois. Mais pour moi elles étaient une préoccupation quotidienne. J'anticipais en permanence sa colère, mais je ne pouvais jamais la prédire. J'ai commencé par jouer à un jeu avec moi-même : quand je m'inquiétais de quelque faute ou manquement – comme une note médiocre sur mon bulletin, un cours de musique manqué ou un retard –, j'imaginais sa réaction dans ses moindres détails. Je pouvais « entendre » ses paroles accusatrices tandis qu'elle sondait les profondeurs de mon crime. J'essayais d'en contrôler l'issue en imaginant sa colère. Quand je m'attendais à ses crises, elle montrait de l'indifférence ; quand j'anticipais son approbation, une action ou une parole déclenchait une explosion. Comme j'aurais probablement tort, j'essayais de me servir de mon pessimisme comme d'un talisman contre l'issue que j'envisageais. J'imaginais sa colère dans toute sa splendeur ; plus mon imagination était haute en couleurs, moins il y avait de chances qu'elle se réalise. Mais ces incantations marchaient uniquement pour les actions et les mots que je pouvais identifier comme de possibles offenses. J'avais trop d'imperfections : je n'avais pas pris un précieux message téléphonique ; j'avais oublié de dire à l'électricien qu'il devait aussi réparer la sonnette ; ou bien c'était le ton de ma voix, l'orientation de ma tête, une phrase particulière, qui indiquait un manque de « respect » et déclenchait sa colère sourde.

Je pensais que la fureur faisait partie intégrante du rôle de mère et je m'inquiétais de le devenir moi-même. « Tu ne me comprendras jamais avant d'avoir toi-même des enfants », me répétait-elle chaque fois que je « pleurnichais ». Mais quand j'ai eu des enfants et que j'ai constaté leur vulnérabilité, leur réactivité et leur sensibilité délicate à leur environnement émotionnel, j'ai été encore plus ulcérée par son attitude. Ma nouvelle capacité d'appréciation m'a fait percevoir l'étendue de sa cruauté. Ce n'était pas son intention, je pense. J'ai également appris que l'irritabilité d'un enfant de 3 ans peut vous taper sur les nerfs à tel point que cela provoque un sentiment de rage que vous ne pensiez pas avoir en vous. J'ai découvert le soulagement honteux de déverser toutes les frustrations de la journée sur l'enfant afin de les évacuer en regardant son doux visage s'animer sous l'effet de la peur et de l'amour, ses bras tendus en quête d'une réconciliation. À la vue de cette réaction, j'ai compris qu'il y avait une limite à mes propres éclats infantiles et que même l'horrible mère maléfique que j'avais imaginée pouvait être vaincue – pas une fois pour toutes, mais par des gestes quotidiens en réponse au point de vue de l'enfant. Néanmoins, j'avais appris à mes dépens qu'une mère méchante et toxique pouvait résider en moi, quelle que soit la quantité d'amour maternel que j'éprouvais.

En tant que psychologue et mère, j'ai conscience que tous les parents se mettent en colère. Je sais aussi que, même si aucun enfant n'aime que ses parents se fâchent, il ne suffit pas d'une seule colère pour créer un environnement relationnel toxique. Ce n'est que lorsqu'un parent a recours à la colère de manière répétée pour exclure la conversation, au sens large de « conversation », qu'un dilemme voit le jour. Quand un parent use de la colère ou de la menace de la colère pour dominer l'atmosphère émotionnelle, alors même des conversations potentiellement bonnes avec un parent perdent de leur spontanéité, de leur ouverture et de leur honnêteté. Quand la colère d'un parent se déclenche en réaction aux tentatives de son fils ou de sa fille de faire part de sa propre expérience dans la conversation, alors le dilemme est posé : « Soit tu adaptes ton comportement à ma convenance, soit ma colère éliminera tout plaisir de la relation. » Vient alors la condition : « Endure ma colère, tolère ma rage pour rester proche de moi. Si tu contestes mon droit à t'infliger ma colère, si tu remets en cause la légitimité de ma rage, la relation deviendra encore plus désagréable. »

Dans ce chapitre, je présente des études de cas dans lesquelles des personnes décrivent leur expérience personnelle de ce dilemme. Ces témoignages sont analysés à la lumière des découvertes récentes en neurologie qui expliquent pourquoi les enfants réagissent si fortement à la colère de leur mère. Ces découvertes scientifiques identifient les éventuelles conséquences négatives d'une relation toxique et elles suggèrent aussi des voies de rétablissement.

- **Imposer un dilemme**

« Tout le monde crie », proteste Loïs tandis qu'elle écoute Margot, sa fille de 17 ans, se plaindre de devoir « respirer un grand coup avant d'affronter Maman ».

Margot semble exprimer pour la première fois sa propre colère face au fait d'être obligée de constamment se contrôler pour éviter les crises de rage de sa mère. Ses yeux sont écarquillés de peur malgré son courage. De la partie charnue de ses pouces, elle donne des chiquenaudes aux ongles rongés courts de son index et de son annulaire.

« La voix de Maman devient si forte que j'ai l'impression d'avoir le crâne fendu en deux, et je dois me concentrer très fort. Comme si je courais devant un raz de marée de colère et que je pouvais éviter d'être submergée uniquement si je courais assez vite. Je me fige à l'intérieur et j'attends que ça passe. Mais alors, elle me hurle dessus parce que je ne fais pas attention quand elle crie. »

Loïs secoue la tête. « C'est vrai que je m'emporte vite. Depuis quand est-ce un crime de crier ? C'est de sa faute si je crie. Si elle se comportait comme je veux, je n'aurais pas à le faire. Elle se complique elle-même la vie, mais elle sait que je l'aime quand même. »

La plupart des enfants font de leur mieux pour résister au dilemme d'une mère toxique jusqu'à ce que, après des frustrations répétées, ils comprennent que leurs efforts n'aboutiront qu'à de nouvelles punitions. L'enfant veut que sa mère voie les choses de son point de vue à lui : « Voilà comment je ressens ta colère. » Mais une mère en colère réagira par de nouvelles accusations. Elle justifie son comportement, dénigre l'expérience de l'enfant et l'accuse de tous leurs maux. En quelques secondes, la « conversation » s'achève. La résistance de l'enfant ne fait qu'alimenter la colère maternelle.

- **Amour et rejet : double contrainte classique**

Un dilemme relationnel toxique est édulcoré de contradictions que l'on nomme des doubles contraintes. Comme exemple classique de double contrainte, on peut citer une déclaration d'amour faite dans le contexte de signaux négatifs émis par le ton de la voix ou le langage corporel[1]. Quand la mère montre du dégoût ou de l'hostilité alors

1. L'anthropologue Gregory Bateson est à l'origine de ce concept, bien qu'il soit aujourd'hui fréquemment associé au psychanalyste R.D. Laing.

qu'elle affirme qu'elle exprime son amour, l'enfant est coincé entre deux messages : la peur et la sécurité. Cela implique qu'il n'y a pas de différence entre les deux.

La peur conduit l'enfant à observer sa mère attentivement. Le moindre durcissement de ses lèvres, le moindre rétrécissement de ses yeux, la plus petite tension dans son cou signalent le danger. Quand les paroles prononcées ne correspondent pas au langage du visage ou du corps, l'enfant cesse de comprendre l'univers relationnel.

L'amour maternel est, émotionnellement, un sujet chargé. Il revêt un rôle sacré et il ne saurait être critiqué. En appeler à l'amour maternel embrouille parfois la question que l'on essaye de soulever. « Je suis ta mère et je t'aime » transmet le message « Je te donne tout ce que tu veux et tu as tort d'en demander plus ». « Je suis ta mère et je t'aime » fait appel à des icônes culturelles qui portent le message « J'ai une réserve inépuisable d'amour maternel, donc tu es ingrat si tu te plains ».

Une mère toxique est parfois définie comme incapable d'aimer ses enfants, mais les mères toxiques ressentent souvent de l'amour et considèrent qu'elles agissent au nom de ce dernier. Pour désigner le type d'amour qu'une mère est censée avoir pour son enfant, on parle d'« amour inconditionnel ». Une version idéalisée de l'amour inconditionnel signifie : « Je t'aime en totalité, je t'accepte tel que tu es et je ne te jugerai jamais. » Mais cela ne s'accorde pas avec le sentiment de responsabilité très fort que les parents éprouvent pour leur enfant. Des parents suffisamment bons définissent des conditions qu'ils s'attendent à ce que leur enfant remplisse. Ils le grondent, le conseillent, le dirigent et ils ont des points de vue tranchés, parfois négatifs, sur les paroles et les actions de l'enfant, ses préférences et valeurs. « Je t'aime de façon inconditionnelle » signifie simplement « Quelles que soient les circonstances, je ne t'abandonnerai pas ». Mais, sans relations présentant des sentiments partagés et de la compréhension, un enfant se sentira probablement tenu à l'écart de l'amour maternel, même quand sa mère lui dit « Je t'aime ».

- **Stratégies toxiques**

Plusieurs années d'observation attentive et de réflexion sont nécessaires avant qu'un fils ou une fille puisse exprimer les conditions d'un dilemme relationnel. Quand vous êtes enfermé dans une relation toxique, vous êtes soumis à des tactiques qui vous forcent à en accepter les conditions ; simultanément, la mère qui vous y contraint nie l'existence d'un dilemme. Quand l'enfant lutte pour résoudre le dilemme, s'y confronter ou y échapper, la mère toxique maintient probablement le *statu quo* par diverses stratégies.

Normalement, les parents aident leurs enfants à développer leur capacité de réflexion et leur contrôle, mais les parents qui imposent une relation toxique ont peu de chance d'être réfléchis. Ils nient être fâchés même lorsqu'ils crient. Ils sont incapables de prendre du recul pour se demander si leur colère est justifiée. Ils considèrent le désarroi de leur enfant comme le signe qu'ils sont « idiots », « méchants » ou « gâtés ». Malgré leur incapacité à réfléchir à leurs propres émotions et comportements, ils montrent une intelligence considérable dans leur capacité à embrouiller et à contredire leur enfant. Voici quelques stratégies fréquemment utilisées pour empêcher l'enfant de pointer les difficultés :

Une forme d'***incohérence*** réside au cœur de la majorité des relations toxiques. Les souffrances de l'enfant sont aggravées par le refus du parent de reconnaître son désarroi. L'enfant ne peut pas non plus obtenir l'aide de ses parents pour comprendre le motif de leur colère. La colère irrépressible a tendance à s'autojustifier. Elle est faite de reproches, de sorte que tout est de la faute de l'enfant et tous les motifs de colère passée du parent sont aspirés dans le tourbillon de sa furie présente. Tout ce que l'enfant peut comprendre, c'est : « J'ai profondément tort et je suis incapable de comprendre mon univers interpersonnel. »

La marginalisation, ou le refus de l'importance des protestations de l'enfant, est une forme de déni. Elle signale : « Tu ne ressens pas ce que tu penses ressentir. » Entendre cela de la part d'un parent est autoaliénant. Le message est : « Je ne sais pas ce que je ressens » et « Je ne suis pas en position de nommer mes sentiments ».

La contre-accusation déplace les protestations de l'enfant à propos du parent sur l'enfant lui-même. Le message est : « C'est de ta faute si tu souffres. » Souvent, la contreaccusation se divise en deux parties. Dans la première, on a le message selon lequel l'enfant mérite la colère du parent. Dans la seconde, le message est : l'enfant a tort de s'opposer à la colère du parent parce que c'est pour son bien.

L'offuscation cache la question que l'enfant tente de soulever. S'il proteste parce que la colère de sa mère lui fait de la peine, elle insistera : « Je t'aime, donc je te donne vraiment tout ce dont tu as besoin. » Le mot fort d'« amour » jette le voile sur des sentiments complexes et pressants que l'enfant essaye de communiquer. L'offuscation œuvre souvent en parallèle à la marginalisation pour souligner le message : « Ta souffrance n'est pas authentique. »

L'étroitesse de vue signifie que quelqu'un ne veut – ou ne peut – pas voir quelque chose du point de vue de l'autre. « Mon point de vue est la seule façon légitime de voir les choses » est le message sous-jacent. Une conséquence de l'étroitesse de vue est qu'un parent se croit pleinement justifié dans son refus de reconsidérer le bien-fondé de sa colère.

L'externalisation est une façon pour un parent d'admettre que son comportement est fautif tout en s'assurant qu'il reste innocent. « C'est l'alcool, pas moi » est une excuse qui incite l'enfant à dissocier son expérience de cette mère alcoolisée de sa « vraie » mère.

L'accusation par la lecture dans les pensées implique que le parent fâché projette ses noirs desseins sur son enfant. La mère peut justifier sa colère en disant : « Je sais à quoi tu penses » et « Je sais ce que tu veux ». Le parent cesse alors d'écouter (au sens large) l'enfant, puisque ce n'est plus nécessaire. C'est très perturbant pour un enfant que sa mère lui dise qu'elle le connaît sans même l'écouter ou s'occuper de lui. Cela implique que l'esprit de l'enfant n'est pas le sien propre.

Les tactiques combinées utilisent plusieurs ou toutes ces manœuvres pour perturber l'enfant et faire échouer les discussions. Ces manipulations génèrent une telle inconstance et incohérence qu'un enfant cessera probablement toute protestation et se rangera aux conditions du dilemme toxique.

LA SCIENCE DE LA PEUR

De nombreuses personnes disent ne pas comprendre pourquoi elles paniquent face à la colère de leur mère. Même à l'âge adulte, elles ressentent une terreur primitive. Dans le témoignage suivant, Sophie, 21 ans, et Robert, 34 ans, réfléchissent à la nature de leur peur.

Sophie déclare :

Il est évident qu'elle ne va pas me tuer, mais au plus profond de moi je n'en suis pas si sûre. Quand elle est fâchée contre moi, j'ai l'impression de me retrouver devant un peloton d'exécution.

Robert remarque :

Mes genoux se dérobent quand elle se fâche contre moi. Je perds tout courage. J'essaye de me rappeler que le pire sera bientôt passé, qu'elle ne restera pas ainsi à tout jamais. Pour l'instant, elle est en colère, mais elle ne le sera vite plus. En grandissant, j'ai essayé toutes sortes de choses pour mieux faire passer ces mauvais moments. Je me disais : « Ce ne sera pas trop terrible si elle ne me frappe pas. » Puis je me suis rendu compte que le fait qu'elle me frappe ou pas n'avait pas vraiment d'importance. Ce qui me faisait vraiment peur, c'était qu'elle explose et disparaisse.

Ces peurs profondes sont ancrées dans la dépendance de l'enfance. La colère d'un parent signale un danger. L'enfant qui voit son parent sous l'emprise d'une colère incontrôlée a peur pour lui-même, mais aussi pour son parent. La terreur inconsciente de l'enfant concerne non seulement le fait d'être blessé, mais aussi que sa mère ne se consume de colère. La réaction d'un enfant peut approximativement être décrite ainsi : « Ma mère ne se maîtrise plus, alors plus personne ne me protège. » Cet état de terreur est similaire à ce que vit tout jeune primate physiquement abandonné par sa mère.

Même si, littéralement, « les cris ne tuent pas », à certains moments de la vie d'un enfant, la colère du parent peut provoquer de gros dégâts dans son développement.

Nous ne naissons pas avec les circuits cérébraux qui nous permettent de comprendre et contrôler nos émotions. Néanmoins, nous sommes parfaitement capables de ressentir les choses. D'ailleurs, parce que les peurs précoces sont vécues sans système permettant de placer ces sentiments en contexte, il n'y a pas de frein, pas de limite à la force de ces sentiments primitifs. Vulnérables et bruts, les très jeunes enfants se laissent facilement submerger par la peur.

Les circuits cérébraux primitifs associent la colère de la mère au danger, à la fois interne et externe. La partie du cerveau qui se nomme l'amygdale cérébrale déclenche l'alarme. Cette zone est en forme d'amande. Elle se trouve dans le bas de la région limbique du cerveau ; elle est à l'origine des sentiments passionnés, dont le plaisir et le désir, mais aussi la peur. L'un des rôles centraux de l'amygdale est de déclencher l'afflux de substances biochimiques qui provoquent la réaction de fuite ou d'affrontement. En résumé, l'amygdale nous pousse à réagir rapidement face au danger.

Ce système d'alarme mental contribue dans une large mesure à notre protection. Avant de pouvoir évaluer consciemment une situation et identifier la cause de l'alarme, nous ressentons physiquement la peur de notre corps. Ce système rapide aide l'être humain compétent à survivre, mais il peut être toxique pour le jeune cerveau en développement. Quand le cerveau du nourrisson est submergé par la peur de façon répétée, le développement des récepteurs et des connexions nécessaires pour identifier et comprendre les sentiments est stoppé. Plus les enfants sont jeunes lorsqu'ils sont confrontés à la peur, moins leur cerveau est en mesure d'absorber les chocs.

- **Comment le cerveau apprend-il à gérer les émotions ?**

Les neurologues et les psychologues s'intéressent de plus en plus au rôle des émotions dans l'organisation et la création du moi de l'enfant. Pendant la petite enfance, le cerveau droit – siège neurologique du moi émotionnel – détient la clé du développement sain. L'hémisphère droit est mobilisé pour le traitement des informations émotionnelles, l'interprétation des visages et l'évaluation des situations nouvelles et inhabituelles. La clé de ce développement cérébral est une relation étroite avec une autre personne qui est presque toujours la mère. Cette dernière fournit un environnement social et émotionnel sain par le biais de sa capacité à contrôler et à réguler ses propres émotions – surtout les émotions négatives comme la peur – car, pour développer des systèmes neuronaux solides, l'enfant doit être protégé contre un stress prolongé et intense.

Tous les bébés éprouvent évidemment du désarroi mais, dans une relation assez bonne, ils développent des compétences pour résister aux changements d'humeur et pour s'adapter à un environnement en constante évolution. Le parent réceptif voit que son bébé est gêné, fatigué, qu'il a froid, faim, ou qu'il souffre ; il l'apaise et le réconforte, en ajustant sa voix et ses gestes en fonction des émotions du nourrisson. Il montre que son enfant et lui peuvent œuvrer ensemble à retrouver le confort, la sécurité et le plaisir des interactions humaines. Quand l'enfant interagit dans ce que l'on nomme le « dialogue affectif » ou l'échange émotionnel, il est capable de construire un modèle pour la gestion des émotions et des humeurs.

Les sentiments suscités par la vue, l'ouïe, l'odorat et le toucher de la mère attentive sont gravés dans les circuits limbiques cérébraux en cours de développement. Le flux et le reflux des émotions promeuvent des expériences vitales pour la résilience. L'enfant apprend progressivement à ne pas être trop malheureux parce qu'un accès de stress n'est pas la fin du monde. Il apprend peu à peu que son attention peut être détournée de la douleur vers quelque chose de plus agréable. Il apprend à canaliser l'afflux d'anxiété, à trouver des moyens efficaces pour se détendre, se décharger de ses sentiments négatifs, apprécier son environnement.

Ces interactions qui apprennent à l'enfant à réguler ses propres sentiments produisent le modèle d'expériences qui se nomme « rupture et réparation ». Quand un enfant est capable d'éprouver de façon répétée la transition d'émotions négatives à des émotions positives, son jeune cerveau est stimulé pour construire des circuits et des systèmes de régulation émotionnelle. Pendant que se forment ces circuits et systèmes, l'enfant « emprunte » la maîtrise de soi de son parent.

- **Comment un environnement stressant entrave-t-il la gestion des émotions ?**

Pendant l'enfance et l'adolescence, les systèmes cérébraux sociaux qui servent à décrypter les émotions et les pensées – les nôtres et celles d'autrui – se développent plus lentement quand le cerveau est constamment assailli par les substances chimiques du stress. Imaginez alors le désavantage physiologique de l'enfant dont la mère ne peut pas lui renvoyer positivement les émotions qu'il ressent ou gérer celles auxquelles elle est en proie.

Dans certaines familles, les éclats et les marques de mauvaise humeur sont la norme. On entend de perpétuels « grognements » – gronderies, plaintes, jérémiades, railleries et réprimandes. Les moindres faits et gestes de l'enfant, aussi inoffensifs soient-ils, sont la cible de récriminations ou d'accusations. Dans ces circonstances, la colère doit monter d'un cran pour s'élever au-dessus du niveau habituel des chicaneries. Plus il y a de colère dans la famille, plus il est probable qu'elle ne fera que s'accroître. Dans cette situation, le stress constant entrave la capacité de compréhension, de réflexion et de régulation des émotions de l'enfant.

Dans un tel environnement, les enfants ont du mal à interpréter les signaux d'autrui. Ils sont prompts à anticiper le danger dans tout changement d'expression faciale et de gestuelle. Ils peuvent réagir avec agressivité ou être sur la défensive dans des situations que la plupart des gens géreraient facilement. N'étant pas capables de réguler leurs émotions, ils peuvent osciller entre la peur, l'angoisse et la douleur, puis vers une sensation de calme inexpliqué, pour se laisser à nouveau submerger par la peur du danger. Même s'il existe différentes façons et occasions d'apprendre ce que nous avons manqué précédemment, l'apprentissage lui-même devient plus compliqué quand un stress prolongé dans l'enfance a réduit la plasticité du cerveau. Quand il est soumis à un stress prolongé, le cerveau montre moins de capacités à grandir, apprendre et s'adapter à de nouvelles façons de faire face. Ainsi les enfants qui ont le plus besoin d'apprendre de nouvelles façons de réfléchir à leur vie intérieure et de la gérer sont probablement les moins capables de le faire.

- **Expériences à vif de la colère d'un parent**

Voici les témoignages de trois jeunes gens en quête de schémas personnels de gestion de la panique et de la détresse. Ils décrivent l'écrasante réaction physique et la recherche urgente d'un abri.

Sam, 9 ans, a « un caillou dans le ventre » quand sa mère crie. « Si je ne me tiens pas tranquille, mon ventre va exploser. Je me plie en deux et je ne bouge plus. » Il attend que les cris cessent, puis, quand il pense pouvoir se relever sans mal : « J'imagine frapper toutes les mauvaises choses avec une pierre, puis je l'enterre pour l'éliminer. Je peux alors recommencer à faire des choses parce que je n'ai pas besoin de l'emporter. »

Sandrine, 11 ans, déclare : « Quand Maman est folle de rage, j'ai une grosse boule dans la gorge qui est aussi dure que de la pierre. Je n'arrive plus à avaler. Je ne peux pas parler. C'est encore pire que le pire mal de gorge que j'aie jamais eu. » Sandrine explique qu'elle l'enveloppe de « la meilleure glace du monde » qui dégouline en la remplissant de plaisir. « Quand je vois que la colère de ma mère va éclater et qu'elle va s'en prendre à moi, je me dis que je vais pouvoir penser à la glace. Il arrive que ma gorge se desserre assez pour que je puisse parler, et ma voix n'est même pas malheureuse. Il faut que je m'entraîne parce qu'on dirait que ça calme Maman. Je pense à des choses que je pourrais dire et à des paroles qu'elle pourrait prononcer. Je ne sais pas, mais, parfois, quand elle voit que je suis triste, elle redevient gentille, mais parfois il vaut mieux que je ne pleure pas sinon elle se fâche parce que je pleure. »

Avant de s'endormir, le soir, Sandrine dit aimer « ranger les choses dans des boîtes et, quand elles sont horribles, je ferme la boîte hermétiquement, et on ne peut pas l'ouvrir, même avec un mot de passe. Je n'en parle à personne. Même pas à ma meilleure amie. Je n'en parle pas à mon chat. Pour les bonnes choses, j'essaye d'avoir un mot de passe pour pouvoir m'en souvenir ».

Laura, 13 ans, dit : « Ma mère ressemble à un ouragan quand elle est en colère. Tout ce qui se trouve sur sa route est anéanti. Quand sa rage atteint son summum, j'essaye de penser à quelque chose à dire. Je me sens moi-même très en colère. Je voudrais exploser sous son nez. Ça m'arrive parfois. Ou bien je vais dans ma chambre et je claque la porte. Je n'arrête pas de penser à des choses que je pourrais dire ou faire pour qu'elle arrête.

N'importe quoi, comme lui donner des coups de pied, des coups de poing, parvenir à trouver les mots qui la feront taire. Je tourne ces scènes dans ma tête et je joue avec. »

La colère du parent ne tue pas l'enfant, mais ce dernier en perçoit la force comme une agression physique. Ces enfants essayent d'élaborer des stratégies rudimentaires pour gérer leurs émotions. Ils essayent de constituer leur propre boîte à outils pour venir à bout de leur environnement toxique. Leurs efforts maladroits absorbent une part importante d'énergie mentale.

- **Comment les enfants essaient-ils de gérer la peur ?**

Quand un environnement familial produit un stress prolongé, les enfants recherchent des façons de s'apaiser. Ils sont désavantagés parce qu'ils n'ont pas de modèle de gestion émotionnelle du parent, donc ils recherchent d'autres moyens de gérer leur peur.

Compulsion de répétition

Une méthode fréquemment employée pour gérer la peur est une variante de ce que Freud a appelé la *compulsion de répétition*. Nous répétons constamment une expérience pour tenter de réduire l'anxiété qui y est associée.

Freud a observé son petit-fils jeter un jouet loin de son lit, puis montrer du désarroi tandis qu'il regarde son jouet au loin avec envie. Mais ce jouet est attaché à une ficelle et l'enfant peut donc le ramener à lui et l'attraper à travers les barreaux de son lit. Quand il l'attrape, il frissonne de plaisir, mais le jette de nouveau et montre encore une fois une grande tristesse en regardant le jouet au loin. L'enfant peut rester absorbé par ce jeu pendant de longs moments. Quand il jette le jouet hors de son lit, il dit : « Parti ! » et quand il le ramène à lui et l'attrape, il dit : « Là ! ».

Freud a compris que l'enfant reproduit les allées et venues de sa mère. Dans son jeu, l'enfant contrôle les mouvements de sa mère. Mais, se demande Freud, si ce jeu a pour but de se plaire à imaginer que c'est l'enfant qui commande, alors pourquoi ne garde-t-il pas tout bonnement le jouet près de lui, comme il aimerait garder sa mère à ses côtés ?

Finalement, Freud en conclut que le jeu remplit un autre objectif crucial[1]. En répétant l'expérience de l'absence et de la présence de sa mère, l'enfant essaye de surmonter l'anxiété associée aux allées et venues de sa mère. Il nous arrive de rejouer mentalement des expériences désagréables pour réduire l'intensité des sentiments qui y sont associés – un processus que Freud nomme l'« emprise ».

La compulsion de répétition d'expériences désagréables peut être destinée à réduire l'anxiété, mais elle peut avoir un tout autre effet. Un enfant qui s'efforce d'imaginer la colère de sa mère peut finir par intérioriser cette voix rageuse. Cela forme alors un programme neurolinguistique qui sape l'énergie et la confiance de l'enfant. « Tu mérites d'être

1. Freud, *Au-delà du principe de plaisir,* Payot, 2010.

déçu » et « Tu gâches toujours tout » deviennent des réactions automatiques à toutes les expériences négatives. Au lieu de réduire l'effet de la colère de la mère, elles infligent une autopunition permanente.

Essayer d'améliorer le scénario

Pour essayer de gérer sa peur, un enfant peut aussi prévoir des scénarios dans lesquels il décrit des façons d'apaiser ou de distraire sa mère.

En se basant sur leur exposition répétée aux accès de colère de leur mère, certains enfants imaginent différentes choses qu'ils pourraient dire ou faire pour atténuer son courroux. Ils se concentrent sur des disputes passées ou envisagent des disputes possibles, et les retournent dans leur tête en se demandant comment changer l'enchaînement dramatique. Si je dis ça, parviendrai-je à attirer son attention ? Si je ne dis pas ça, sa colère pourra-t-elle s'apaiser ? Si je garde mon calme, sa colère disparaîtra-t-elle ? Si je pleure, se sentira-t-elle coupable ?

Quand les enfants revivent mentalement ces scénarios, ils comprennent mieux ce qu'il se passe. Ils peuvent réussir à élaborer une stratégie de gestion acceptable, mais il est aussi probable que ces scénarios ne réduiront pas leur bouleversement émotionnel. Au lieu de cela, ils stimulent leur propre colère et indignation. Loin de réguler leurs émotions, ils les montent en épingle.

Obstruction

Certains enfants essayent de se fermer à tout sentiment plutôt que de ressentir la douleur, comme Sam le fait avec son « caillou ». *L'obstruction* est une technique qui consiste à couper tous les récepteurs et à transformer son corps et son esprit en mur de pierre. Cela peut être une défense contre les stimuli qui envahissent notre système quand nous sentons un danger. Sam ferme tous ses circuits et s'assoit dans la position classique que l'on nous apprend à adopter au cas où l'avion s'écrase. Sam et Laura se recroquevillent tous les deux pour éviter d'être submergés par leurs propres émotions. Sandrine, avec ses boîtes, essaye de repousser ses sentiments loin de sa vie quotidienne avec ses amis. Cette stratégie réduit l'anxiété, mais au prix de geler tout sentiment.

Acceptation

Certains enfants concluent que la colère d'un parent est justifiée. Il peut être plus douloureux de croire qu'un parent ne se contrôle pas, qu'il est déraisonnable et méchant, plutôt que de se remettre soi-même en question. Il peut être plus douloureux de réfléchir à la confusion et au chaos plutôt que d'essayer de comprendre le comportement d'un parent en en concluant que l'on mérite d'être puni. Cette expérience est décrite par Diane Rehm[1] dans son autobiographie *Finding My Voice*. Quand sa mère la battait, elle n'en parlait pas : elle pensait mériter les coups parce qu'elle décevait ses parents. La colère de sa mère et sa manière

1. Animatrice radiophonique américaine.

de l'exprimer étaient devenues un secret honteux pour sa fille.

Essayer de donner un sens aux réactions d'autrui fait partie des préoccupations humaines ordinaires. Accepter la colère de sa mère en en concluant qu'elle est justifiée est une façon de légitimer une relation toxique. Mais cette acceptation est chèrement payée, car elle signifie que nous considérons la cruauté d'autrui comme honteuse pour nous.

Intérioriser la colère

L'intériorisation de la voix rageuse de sa mère peut être une conséquence de la compulsion de répétition ou de l'acceptation. Entendre sans cesse sa colère dans notre tête estompe la distinction entre sa colère et nos propres pensées.

La plupart des enfants entendent constamment la voix de leur mère dans leur tête. En général, cette voix intériorisée est apaisante et réconfortante. Les mots que nous imaginons, qui ont d'abord marqué cette relation fondamentale, nous aident à surmonter la déception ou dissiper la gêne. « Ça ira mieux », « Tu as fait de ton mieux », « Tu ne l'as pas fait exprès ; c'était un accident » sont des rengaines que nous nous répétons pour diminuer notre anxiété. Les enfants qui intériorisent la voix en colère de leur mère emploient d'autres mots pour se punir, même lorsqu'ils sont hors d'atteinte de la rage de leur mère. Dans la prochaine partie, nous examinerons des cas d'adultes qui sont encore aux prises avec cette peur lancinante.

LES SÉQUELLES DE LA COLÈRE

Les psychologues s'accordent à dire que les expériences effrayantes cumulées laissent leur empreinte sous forme d'une « inscription secrète, une image figée ou un modèle ». La mère peut considérer ses accès de colère comme temporaires et sans conséquence, mais pour son fils ou sa fille ils colorent leur quotidien. Des adultes compétents et indépendants continuent à emporter cette inscription secrète partout avec eux. La sensibilité à la colère d'un parent commence avec la dépendance et l'amour du nourrisson, mais elle ne s'arrête pas là.

« Peu importe mon âge, remarque Paul, 36 ans, quand elle crie, j'ai à nouveau 3 ans. Je me sens piégé et complètement à sa merci. Quand j'entends qu'elle est fâchée, le petit garçon totalement dépendant et incapable de se débrouiller tout seul surgit à nouveau. J'ai vraiment l'impression de n'être plus rien quand elle s'emporte contre moi. »

Audrey, qui a 41 ans, décrit sa vie avec sa mère comme « un grand huit émotionnel. Elle est souvent calme, détendue. Puis, l'univers se transforme et devient un endroit effrayant, où tout la met en colère ». Elle se souvient de « ses cris qui résonnaient dans la cuisine », de son regard « aussi tranchant qu'un couteau », de sa « moue grimaçante ».

À 47 ans, Marie dit : « J'étais incapable de prédire ce qui déclenchait les foudres de ma mère. Mais quand elle était fâchée, j'étais sans force. Je ne pouvais rien dire sans envenimer la situation. »

À 38 ans, Robert ne se sent pas mieux armé qu'un enfant pour changer leur mode d'interactions. Il déclare : « Je me tiens tranquille en attendant que sa colère se calme, me sentant aussi impuissant qu'un bébé. »

- **Émotions, souvenirs et impact de la peur**

Le psychanalyste Ronald Laing emploie le terme « implosion » pour décrire l'impression qu'a une personne que tout son univers se désagrège. Nous sommes vulnérables à l'implosion quand nous avons l'impression de ne pas avoir de défenses intérieures. La colère de la mère peut nous ramener à ces premières expériences, lorsque nous n'avions nous-mêmes pas les circuits cérébraux nécessaires pour nous ramener à un équilibre émotionnel et que nous devions « emprunter » ou dépendre des siens. Quand nous voyons notre mère perdre le contrôle de ses émotions, cela nous rappelle notre propre vulnérabilité.

La dépendance du nourrisson crée un contexte aux souvenirs. Quand une émotion forte s'est imprimée dans le système à réaction rapide du cerveau, elle peut être à nouveau déclenchée par un fait qui serait associé à la peur initiale. Même quand la dépendance infantile est passée depuis longtemps, l'adulte peut ressentir autant d'anxiété que le nourrisson sans défense.

Les souvenirs de l'enfance sont empreints d'une netteté particulière. Avant que le cerveau ne développe des « schémas » ou des concepts généraux à propos des objets du quotidien, nous accordons une attention extrême aux détails. Avant que des schémas ne permettent de traiter rapidement et efficacement nos observations, les caractéristiques de chaque chose ressortent. C'est ce qui fait la richesse des souvenirs de l'enfance, qui sont traités avant que l'esprit ne connaisse des raccourcis pour saisir l'essence d'un lieu, d'une personne ou d'une action. Les enfants qui vivent dans un environnement émotionnel toxique peuvent manquer de souvenirs nets de l'enfance. Les souvenirs qu'ils ont gardés de cette période peuvent être vagues ou parcellaires, leur énergie étant à cette époque consacrée à leur propre défense.

La mère en colère inflige des traumatismes spécifiques, comme des agressions physiques, ou bien elle génère une anxiété chronique. Que le stress résulte d'un événement pénible ou d'un climat émotionnel désagréable persistant, il peut endommager l'hippocampe – le lieu de stockage de la mémoire dans le cerveau. Quand cette partie du cerveau est abimée, des souvenirs explicites – les paroles prononcées, l'incident déclencheur de la dispute, même des détails sur qui a frappé qui et quand – ne peuvent pas être mis en contexte, analysés ou compris. L'enfant garde une vive réaction émotionnelle aux sensations, impressions, sons, visions ou odeurs qui sont associés aux événements stressants, mais il lui manque une compréhension plus vaste des événements et de leur cause. Ainsi, l'enfant peut ne pas garder de souvenirs conscients d'avoir été enfermé pendant des heures dans un placard. Pourtant, tout ce qui d'une certaine façon est associé à cet endroit – que ce soit une odeur de renfermé, l'obscurité ou le cliquetis d'une serrure – suscite un vif sentiment de peur. L'enfant n'a pas nécessairement le souvenir d'avoir été frappé, mais un geste ou une voix qui, pour une raison quelconque, est associé à l'agression déclenche une réaction de panique. Dans ces cas, la peur physique naît dans l'amygdale – qui traite nos réactions rapides comme la peur –, mais l'endommagement de l'hippocampe, où sont conservés les souvenirs et leurs contextes, signifie qu'il n'y a pas de souvenirs conscients de l'événement qui a effrayé l'enfant[1].

Pendant l'enfance – et souvent au-delà –, la colère d'un parent est vécue comme une menace primitive. Le système cérébral rapide déclenche les premières expériences de vulnérabilité et nous réagissons comme nous le ferions dans une véritable situation de danger. Si nous avons de la chance, nos systèmes cérébraux analytiques plus lents se souviennent que cette colère est limitée à un contexte bien précis, et nous nous attendons au calme et au contentement quand la colère reflue. Quand l'enfant réalise que sa mère contrôle normalement ses émotions, il accepte plus facilement les hauts et les bas de la vie quotidienne. Le cerveau de l'enfant contient de nombreux récepteurs qui détectent les substances chimiques libérées par le stress et il peut encaisser les coups. Mais, quand nous vivons avec une mère qui n'est pas capable de réguler ses

1. Cela explique aussi le syndrome de stress post-traumatique (SSPT). Un traitement fréquent du SSPT implique le retrait de la mémoire consciente de sorte que la peur puisse être mise en contexte et vue comme ayant eu lieu dans le passé, dans un contexte particulier. L'expérience douloureuse devient alors un événement spécifique plutôt qu'un traumatisme permanent.

émotions, l'anxiété à long terme perturbe la gestion de nos émotions et la panique peut être déclenchée par des signaux internes et externes. Par bien des aspects, c'est comme quand nous regardons un film d'horreur : nous nous attendons à ce qu'un personnage terrifiant surgisse, mais son apparition soudaine nous fait néanmoins sursauter.

Pour dissiper la peur primitive et enrayer la panique difficilement explicable, nous devons comprendre le contexte dans lequel la peur surgit. Les personnes qui ont des souvenirs précis et détaillés des tempêtes de colère qui ont marqué leur enfance seront probablement plus résilientes et surmonteront leur désavantage physiologique cérébral. Nous avons plus de chances de percevoir les limites d'une mauvaise expérience si nous comprenons qu'un événement effrayant s'est produit dans le passé et qu'il ne se reproduira pas nécessairement. Si les souvenirs implicites pouvaient être rendus explicites, ils pourraient être libérés de la tyrannie des peurs provoquées par réaction rapide.

- **Évaluer les effets de la colère parentale**

Quand nous tentons de comprendre l'impact que notre mère toxique a exercé sur nous, nous devons revenir sur des expériences passées en essayant de « garder notre esprit à l'esprit ». Cela signifie tout bonnement que nous devons examiner des réactions et des souvenirs auxquels nous n'avons pas encore réfléchi jusque-là.

Commencez par décrire vos réactions face à la colère maternelle, passée ou présente.

Avez-vous peur ?

- Si oui, pouvez-vous explorer cette peur ?
- Quel est le pire résultat que vous pourriez imaginer ?
- Est-il réaliste de croire que la peur pourrait vous tuer ?
- Est-il réaliste de supposer que vous ne serez pas capable de fonctionner correctement si votre mère reste fâchée ?
- Êtes-vous inquiet qu'elle ne meure des suites d'une trop grosse colère ?

En vous autorisant à vous concentrer sur vos peurs, vous pouvez les sonder.

Vos peurs sont-elles réalistes ?

- Pouvez-vous modifier votre réaction pour la rendre réaliste ?

En y réfléchissant, peut-être réaliserez-vous que la pire issue imaginable est qu'elle continue à crier et qu'elle reste fâchée.

D'expérience, vous savez que, bien que sa colère atteigne parfois le stade de la violence physique, vous pouvez quitter la pièce pour vous protéger.

- Pouvez-vous vous souvenir du nombre de fois où vous avez survécu à sa colère ?

- N'avez-vous pas déjà vécu à maintes reprises la fin de ses sentiments pénibles et des vôtres ?

- Pouvez-vous vous servir de ces souvenirs pour vous rassurer en vous disant que vous survivrez cette fois encore ?

Ensuite, examinez vos sentiments actuels vis-à-vis d'elle.

- Êtes-vous fâché contre elle ?

- Vous accusez-vous de l'avoir « mise » en colère ?

- Pouvez-vous réfléchir au but éventuel de cette colère ? (Par exemple, la protège-t-elle de votre colère ?)

- Continuez-vous à vous inquiéter ou à surveiller sa colère ?

- Pensez-vous qu'en gardant sa colère à l'esprit vous parviendrez à la contrôler ?

- Vous arrive-t-il de vous adresser à vous-même en utilisant sa voix fâchée ?

L'objectif de ces questions est de vous demander si vous gaspillez votre énergie à essayer de contrôler la colère maternelle alors que cette énergie serait plus efficacement employée si vous régulez vos propres réactions vis-à-vis d'elle.

Si vous imaginez entendre ses paroles rageuses chaque fois que quelque chose va de travers dans votre vie, alors écrivez ces paroles. Quand vous lirez ce que vous avez noté, vous verrez à quel point la colère que vous dirigez contre vous est excessive. Peut-être lirez-vous : « C'était stupide de dire ça. Et d'ailleurs, tu es toujours un idiot et tous ceux qui t'ont entendu pensent que tu es nul. Tu vas perdre ton boulot. Tes amis aussi vont voir que tu es nul et tu n'auras plus jamais d'amis. » Il est probable que voir vos pensées écrites noir sur blanc les rendra plus amusantes que menaçantes.

Ensuite, imaginez trois issues fréquentes dans un cas où une personne s'adapterait à une mère en colère, et demandez-vous si cela pourrait s'appliquer à vous.

Le conciliateur

Les personnes qui se sont adaptées à une relation imprévisible et colérique avec leur mère sont douces, voire mielleuses. Elles espèrent apaiser la rage qu'elles voient à travers les moindres salutations et sourires. Leurs interactions personnelles ont tendance à être destinées à satisfaire et à apaiser autrui plutôt qu'à s'engager réellement.

Si vous êtes de nature conciliatrice, le moindre éclat (ou la moindre trace) de colère chez autrui peut vous rendre anxieux. Vous vous précipitez pour apaiser. Vous supposez peut-être que les autres se comportent de façon appropriée en exprimant de la colère envers vous. Dans certains cas, vous serez même attiré par des personnes qui se mettent facilement en colère parce que vous associez leurs comportements à l'attachement et à l'autorité.

Pour savoir si cette stratégie est celle que vous avez l'habitude d'adopter, décrivez les partenaires et amis que vous choisissez et interrogez-vous sur les qualités qui vous attirent chez eux.

Trouvez-vous du réconfort à ce que l'on vous crie après ?

- Avez-vous honte quand quelqu'un se met en colère contre vous ?
- Guettez-vous les humeurs de l'autre de façon obsessionnelle ?
- Est-ce que tenter de préserver le calme et la sérénité est une priorité dans vos interactions avec les autres ?

En effectuant cet audit émotionnel, vous constaterez qu'être conciliateur peut être la séquelle d'un environnement relationnel toxique, mais vous pourrez considérer que c'est un atout. Peut-être êtes-vous grâce à cela le diplomate de l'entreprise. Peut-être êtes-vous de toutes les fêtes pour gérer les amis ou proches aux tempéraments difficiles. Mais vous aimeriez sans doute mieux contrôler quand être diplomate et quand être plus direct. Peut-être voudriez-vous être sûr de pouvoir vous affirmer en certaines occasions. Peut-être aimeriez-vous consacrer moins d'énergie à apaiser les autres et davantage à des interactions authentiques.

En effectuant cet audit émotionnel, vous constaterez qu'en effet votre partenaire a tendance à s'emporter facilement, mais les cris ne sont pas méchants et passent rapidement. Peut-être que le fait que votre partenaire s'emporte ne l'empêche pas d'être aimant et prévenant. Dans ce cas, vous aurez trouvé la perle rare que d'autres ont fuie parce qu'ils ou elles ne peuvent pas passer outre les accès de mauvaise humeur. Mais si vous trouvez que de temps en temps votre partenaire ou ami proche vous déçoit en étant « exactement comme » un parent toxique, alors vous devriez vous demander si vous n'avez pas choisi quelqu'un qui vous aide précisément à reproduire cette relation toxique.

Si vous vous rendez compte que vous vous en voulez et que vous avez honte quand quelqu'un se fâche contre vous, alors il vous faut prendre du recul et réfléchir aux motivations de la colère de la personne et au fait que son manque de contrôle émotionnel n'est pas votre problème.

L'obstrusif

Les personnes qui se sont habituées à des accès de colère imprévisibles dans une relation ont tendance à se barricader dès qu'elles perçoivent le moindre signe de colère chez les autres. Faire le vide, refuser de montrer une quelconque réaction, quitter la pièce, sont les actes défensifs d'un obstrusif.

Nous nous transformons en mur de pierre, car nous craignons que nos réactions ne fassent qu'empirer les choses. Ou bien nous essayons de nous « endurcir » pour éviter d'être blessé et effrayé par la colère d'autrui.

Nous éloigner du cœur de la tempête peut nous éviter d'être attaqués et de réagir avec agressivité, mais cela a tendance à rendre les autres furieux. Ils tenteront de vous provoquer. Si vous vous refermez, vous réagissez probablement à des expériences passées et non à la présente dispute. Peut-être pensez-vous que toute réaction à chaud aboutira aux explosions vécues autrefois avec votre mère.

Certaines personnes sont capables d'établir la distinction entre leurs craintes passées face à la colère de leur mère et leurs réactions actuelles aux colères d'autrui. Mais si vous vous refermez devant la moindre émotion à vif et si vous supposez que chaque émotion forte est synonyme de perte de contrôle ou d'hystérie, alors vous êtes probablement entravé par une réaction rapide de peur.

Notez vos réactions initiales face aux signaux émotionnels que vous décelez. Pouvez-vous cesser de considérer que la manifestation du sentiment d'autrui est le signe avant-coureur d'une terrible explosion émotionnelle ? Peut-être en concluez-vous hâtivement que cette personne est fâchée ? Pouvez-vous essayer d'attendre de voir comment cela évolue ? Pouvez-vous réguler votre excitation physiologique – accélération de la fréquence cardiaque, montée d'adrénaline – pour résister à un échange houleux et trouver une autre solution que de faire obstruction, se replier sur soi-même ou se transformer en « forteresse » imprenable ?

Essayez d'identifier la pire chose qui pourrait se produire si vous maintenez le contact avec une personne fâchée. Quand vous avez examiné différentes issues possibles (par exemple, « Il me criera dessus », « Il me lancera des regards furieux », « Il m'injuriera »), demandez-vous comment les gérer. Peut-être constaterez-vous que vos suppositions ne sont pas fondées. Cela devrait vous donner confiance pour maintenir le contact à l'avenir. Ou bien si vous trouvez qu'il y a des répercussions négatives, vous en conclurez peut-être qu'elles ne sont pas si ingérables.

Le réplicateur

Les psychologues ont depuis longtemps remarqué que les gens ont tendance à reproduire des schémas de comportement qu'ils ont vus chez leurs parents. Parfois, ils imitent simplement le comportement d'un parent, mais il existe des schémas de répétition beaucoup plus subtils et inextricables qui nous lient à notre passé, même si nous pensons tout faire pour y échapper.

Peut-être pensez-vous que votre objectif le plus pressant est d'échapper à la maltraitance maternelle. Cependant, vous recherchez peut-être un partenaire qui ressemble psychologiquement à votre mère et vous constatez que vous vous êtes à nouveau engouffré dans une relation toxique. Peut-être avez-vous choisi de vous rapprocher de quelqu'un qui s'est avéré être aussi lunatique que votre mère et qui vous inflige un sentiment de gêne qui ne vous est que trop familier. Ou peut-être, progressivement, votre partenaire ou un ami proche en est-il arrivé à ressembler à votre mère parce qu'inconsciemment vous vous comportez de telle façon que cela encourage l'autre à vous traiter comme votre mère le faisait.

Lorsque nous avons un parent toxique, un certain comportement nous paraît normal et nous ne sommes pas alertés par des paroles, des actions et des gestes qui alarmeraient quiconque est habitué à des relations plus agréables. Nous nous sentons parfois mal à l'aise en l'absence de ces schémas familiers de maltraitance.

Nos souvenirs implicites du comportement d'un parent nous amènent parfois à répéter un comportement, même si c'est douloureux. Rachel déclare : « Je ne veux pas ressembler à ma mère », mais, quand elle devient mère à son tour, les paroles familières, le ton et les réactions reviennent.

Pour savoir si vous risquez de reproduire le modèle d'un parent en colère, posez-vous les questions suivantes :

- Est-ce que j'entends souvent une voix intérieure qui me réprimande pour mes moindres erreurs ?
- Quand je laisse échapper de la colère, même très brièvement, suis-je inquiet d'avoir tout gâché ?

- Quand je me fâche, ai-je l'impression de parler avec la voix de quelqu'un d'autre ?

Si vous avez peur que perdre votre calme, même pour un bref instant, ne soit destructif, vous confondez peut-être un énervement ordinaire avec un tout autre type de colère. Observez l'effet de votre colère sur votre entourage, notamment sur vos enfants. Si leur malaise est de courte durée, si vous êtes rapidement capable de revenir à une routine relationnelle agréable, alors vous devriez vous autoriser à oublier votre éclat de colère, comme eux l'ont fait. Après tout, les enfants sont parfaitement capables de résister à des fluctuations d'humeur normales.

Quand vous êtes fâché, si vous vous sentez « aux prises » avec des pulsions incontrôlables et avec la voix d'un autre, si vous êtes horrifié par les mots véhéments et cruels qui sortent de votre bouche, si vous avez déjà eu recours à la violence physique, alors vous profiterez pleinement d'une intervention professionnelle adaptée à vos besoins. Vous reproduisez sans doute un schéma qui est profondément enraciné en vous et avez besoin d'aide pour apprendre de nouveaux schémas positifs de gestion du stress.

- **En quoi cela aide-t-il de comprendre ?**

Une exposition fréquente et prolongée aux éclats de colère d'un parent a de profondes ramifications. Les enfants qui décrivent la colère d'un parent comme étant imprévisible se sentent toujours pris à contre-pied et lésés ; pourtant, ils sont eux-mêmes en colère et aimeraient que leur colère puisse faire des dégâts.

Les mères n'ont pas de prérogatives sur la colère. Un père, grand-père ou beau-père peut aussi terroriser un enfant qui vit alors en perpétuelle anticipation et crainte de la prochaine explosion. De nombreuses personnes autres que la mère peuvent créer un environnement relationnel toxique ; mais notre histoire intime, dans laquelle nous avons d'abord conceptualisé notre vie intérieure par le biais des réactions de notre mère, laisse à la plupart d'entre nous une certaine sensibilité et vulnérabilité vis-à-vis de la colère maternelle, quels que soient notre âge et notre statut social. Quand nous comprenons ce contexte, nous parvenons à mieux gérer les impacts de notre histoire émotionnelle.

4

LA MÈRE TOUTE-PUISSANTE

J'ai vu des jeunes enfants, des adolescents et même des adultes pleurer de frustration parce qu'ils se heurtaient à une mère qui leur assurait connaître mieux qu'eux leurs besoins, leurs aspirations et leurs objectifs. C'est par cette « expertise » qu'elle justifiait sa domination. L'enfant qui est privé de marques de confiance et d'intérêt quand il cherche à faire ses propres expériences se sent désorienté et trahi.

Je me souviens avoir éprouvé ces sentiments quand j'étais enfant. Écrasée par la volonté de fer de ma mère, je m'arc-boutais contre les vagues de frustration qui bousculaient mon univers, mais qui la laissaient de marbre. « Ha ! », s'exclamait-elle tandis qu'elle observait froidement ma fureur. « Si je t'écoutais, tu le regretterais. Veux-tu vraiment que je ressemble à ces mères qui laissent tout faire à leurs enfants ? »

Petite, j'étais incapable de répondre à cette question. Il ne m'est pas plus facile d'y répondre aujourd'hui. En effet, qu'est-ce qui distingue la fermeté de la domination ?

Quand je dis à ma fille de 14 ans : « Non, tu ne peux pas sortir ce soir. Tu as tes devoirs à faire. Demain, tu as cours et tu es déjà sortie hier soir », est-ce que j'exerce un contrôle parental raisonnable ou suis-je dominatrice ? Lorsque ma fille se plaint qu'elle va rater une occasion importante avec ses amis, qu'elle m'affirme pouvoir facilement finir ses devoirs pendant l'étude et que je continue à lui refuser, suis-je ferme ou dominatrice ?

Le parent n'est-il pas censé être fort et ferme ? N'est-il pas important d'apprendre à l'enfant que certaines choses ne peuvent pas être négociées et que certains comportements sont intolérables ? L'adolescent impulsif a tout intérêt à ce que le parent le contrôle jusqu'à ce qu'il apprenne à se maîtriser. Le contrôle n'est-il pas une partie essentielle du travail du bon parent et non l'apanage du parent toxique ?

Considérer, soupeser, évaluer les domaines dans lesquels un contrôle est nécessaire et ceux où l'enfant a besoin de liberté est l'une des épreuves d'équilibriste les plus difficiles que les parents doivent exécuter. Les enfants se plaignent que le contrôle d'un parent est abusif même lorsque celui-ci les protège et les guide. Les désirs et pulsions des enfants, s'ils n'étaient pas contrôlés, leur feraient courir de graves dangers. Les adolescents se plaignent que leur parent les considère encore « comme des enfants » ou qu'il « leur gâche la vie » en voulant tout contrôler, alors que c'est exactement ce que le parent s'efforce d'éviter. Pour parvenir à établir une distinction entre le contrôle positif et la « domination », il faut tenir compte du contexte. Les règles ou les attentes dictées laissent-elles de la place à l'enfant pour évoluer ? Par quels moyens le contrôle est-il imposé ? Est-il suffisamment réfléchi ? Les attentes sont-elles cohérentes ? Au contraire les ordres sont-ils lancés comme des missiles dans une guerre sans merci contre l'« entêtement » de l'enfant ? Le contrôle est-il imposé par la menace de terribles conséquences ? Ou bien encore, le contrôle est-il imposé au mépris des besoins et objectifs de l'enfant ? L'avis de l'enfant fait-il l'objet de railleries – « Tu te crois malin » et « Tu te prends pour qui » ? Le parent sape-t-il constamment l'opinion personnelle de l'enfant en lui rappelant sa plus grande expérience – « J'ai davantage vécu que toi », « Je t'ai vu enchaîner les erreurs » ? Peut-être le contrôle est-il imposé avec une démonstration de gentillesse où l'enfant est vu comme en demande constante d'attention. Mais un contrôle excessif, même imposé avec tendresse, transmet le message : « On ne peut pas te faire confiance pour prendre les bonnes décisions. »

Pour l'essentiel, le parent dominateur cherche à briser la volonté individuelle de l'enfant. Le parent ferme, au contraire, cherche à protéger et à guider la volonté d'un enfant en la laissant intacte.

TERRIFIER POUR MIEUX RÉGNER

Les parents sont responsables de la sécurité et du bien-être de leurs enfants. Leur rôle est d'apprendre à leur progéniture que certains comportements sont risqués. Quand une mère crie : « Ne touche pas ! Tu vas te brûler » quand l'enfant tend la main vers un plat qui sort du four, l'enfant va pleurer, mais elle lui transmet une leçon importante. Toutefois, ces leçons, bien que nécessaires, peuvent être utilisées à mauvais escient. Lors de mes recherches sur les mères et les adolescents, j'ai compris que les menaces sont souvent utilisées pour éviter d'exercer un contrôle raisonnable. Claire, 16 ans, demande à sa mère, Véronique, si elle peut sortir, et celle-ci lui répond : « Comment ça, sortir ? Sortir dans la rue ? Maintenant ? Il fait nuit. Tu veux te faire attaquer ? »

Dans le feu de l'action, de nombreux parents prennent des raccourcis et donnent des ordres sans fournir d'explications, parce qu'ils se sont usés à essayer de faire preuve de sagesse et de logique, ou parce qu'ils sont simplement fatigués, qu'ils n'ont pas le temps ou sont à bout de patience. Mais quand les menaces deviennent habituelles, quand elles constituent le premier mode de discussion entre parent et enfant, alors la coercition risque de s'infiltrer dans la structure même de la relation. Ces menaces routinières transmettent trois messages en un seul. *Primo*, elles contiennent de terribles prédictions : « Tu le regretteras », « Tu le payeras cher », « Tu ne sais pas ce qui t'attend ». *Secundo*, elles affirment à tort que le contrôle du parent est nécessaire au bien-être de l'enfant. *Tertio*, quand les souhaits et les désirs de l'enfant sont répréhensibles, la coutume et la sagesse deviennent une sorte de maléfice. Le mépris est déversé comme de la lave brûlante sur les états intérieurs de l'enfant qui en vient à les redouter. L'enfant est alors confronté à un dilemme : « Faut-il que je résiste au contrôle de mon parent en m'exposant aux dangers de mes propres sentiments, ou dois-je m'y plier en renonçant à mes propres désirs et objectifs ? »

CONTRÔLE PAR LE MÉPRIS

Dans le film *Precious*, sorti en 2009, l'héroïne Claireece Precious Jones, âgée de 16 ans, vit dans un foyer où elle reçoit des ordres incessamment et où la maltraitance est de mise. Dès qu'elle rentre chez elle, on lui ordonne de faire la cuisine, le ménage, de s'occuper des autres. Parallèlement, elle est considérée comme une idiote qui n'intéresse personne. Encore collégienne, enceinte de son deuxième enfant, pour ses parents Precious est une servante, un défouloir, un bouc-émissaire et un objet de désir occasionnel et brutal. Les besoins de Precious n'occupent aucune place dans les pensées ou actions de ses parents. Ce film est un portrait fort et profondément perturbant de la maltraitance à la fois sexuelle, physique et émotionnelle. Il brosse à gros traits les interactions entre le mépris et le contrôle. Le parent justifie sa domination par le mépris : tes besoins et tes souhaits ne valent rien, et donc moi, ton parent, je suis en droit de te dominer.

L'expérience d'Elsa, 14 ans, est très différente de celle de Precious. Elle ne subit pas de maltraitance physique, mais elle est submergée par le contrôle permanent et les critiques incessantes de sa mère, Lucille. Pour ce couple mère-fille, la conversation consiste en ordres émis par Lucille et contestés par Elsa. En réaction, Lucille répète simplement ses ordres initiaux en les parsemant de critiques. Lucille demande à Elsa de ranger sa chambre ; Elsa dit qu'elle le fera dans une minute ; Lucille lui ordonne de le faire immédiatement et de ranger ses vêtements propres dans ses tiroirs ou dans sa penderie et de passer l'aspirateur. Elle fait remarquer à Elsa qu'elle est lente et fainéante. Tandis qu'Elsa regarde fixement son écran d'ordinateur, feignant une totale indifférence aux critiques de sa mère, Lucille lui demande d'éteindre son ordinateur, d'arrêter de téléphoner et de prendre des petits-déjeuners plus sains et équilibrés. Quand Elsa commence à ranger sa chambre, Lucille la suit, la surveille et continue à lui donner des instructions : « Ramasse d'abord les serviettes. Je t'ai dit de les suspendre au porte-serviettes et de ne pas les laisser traîner sur ton lit. Combien de fois te l'ai-je répété ? Maintenant tu dois te dépêcher d'aller en cours. Tu veux être en retard ou quoi ? Ça ne sera pas la première fois ! Va-t-il encore falloir que je te fasse un mot ? En rentrant, passe par la poste, celle qui est sur le chemin de la maison, pas celle qui est près de chez Mamie : tu n'as pas intérêt à oublier d'envoyer mon colis. »

Chaque instruction en elle-même est raisonnable, mais, cumulées, elles sont frustrantes et humiliantes. Les directives sont émises sans relâche et à toute allure. Elles saturent l'environnement. « Je n'arrive pas à réfléchir quand elle parle ainsi », me dit Elsa. « Elle emporte mon cerveau. Il ne reste rien à part ses mots. Bang, bang, bang. »

DILEMME : SE FAIRE ENTENDRE OU ABANDONNER

Lucille m'affirme sincèrement exercer son contrôle par amour. Elle s'inquiète de ce que sa fille soit « têtue » et craint que son entêtement ne la « détruise ». Elsa manque souvent les cours. Lucille soupçonne sa fille de 14 ans d'avoir des relations sexuelles et elle essaye de la guider et de la protéger. Pourtant, elle exprime ses recommandations sous forme d'ordres, de critiques et de rejet cynique des opinions d'Elsa.

Elsa a le choix entre résister à sa mère ou abandonner toute idée de relation authentique. Si elle lui résiste, elle se montre honnête, mais le conflit s'aggrave. Face aux conflits, sa mère sévit. Donc plus Elsa essaye de s'exprimer, plus elle est dominée. Par conséquent, elle adopte une stratégie qui consiste à abandonner toute relation authentique. Elle se plie à la plupart des exigences de sa mère, mais elle n'en tient aucun compte quand sa mère ne peut pas la surveiller. Elle ment pour justifier ses absences au collège et ses nuits blanches. « Ma mère n'a pas la moindre idée de qui je suis vraiment », dit-elle. « Et en cachant qui je suis, j'arrive tout juste à m'en sortir. »

Les mensonges sont une stratégie fréquente pour résister à l'emprise maternelle. C'est une façon d'éviter les « problèmes » et les conflits sans perdre la face pour autant. Dans ces circonstances, mentir devient une habitude et les enfants mentent à propos de tout, même lorsqu'un mensonge n'est d'aucune utilité.

Ils peuvent mentir à propos de leurs allées et venues, de leurs agissements et de leurs opinions. « Pour être libre de faire ce que je veux, d'être ami avec qui je veux, ou simplement pour avoir la paix, je dois cacher qui je suis à ma mère. » Mais mentir signale aussi le choix de sortir d'une relation plutôt que d'y travailler pour l'ajuster à ses besoins. Elsa maintient « la paix » en cachant qui elle est plutôt qu'en négociant de meilleures conditions relationnelles avec sa mère. Elle maintient l'harmonie en dissimulant ; elle préserve la « relation » en abandonnant toute idée de vraie relation faite d'engagement mutuel.

Dans son ouvrage fondateur, *Ma mère, mon miroir*[1], Nancy Friday décrit de quelle façon le refus de sa mère d'admettre la personnalité et la sexualité de sa fille a interdit toute relation authentique. Le fait que sa mère tente de la contrôler en niant ses sentiments et ses désirs a conduit à une relation basée sur le mensonge et la méfiance mutuelle. Nancy Friday est confrontée à un dilemme qui lui donne le choix entre limiter son moi sexuel – ainsi que l'envie d'aventure et la confiance associées au désir – et la confiance et le réconfort auprès de sa mère. Le compromis aboutit à une tromperie réciproque : « J'ai toujours menti à ma mère et elle n'a eu de cesse de me mentir. » L'auteur pleure la perte de toute possibilité de conversation franche dans laquelle la mère et la fille peuvent se regarder les yeux dans les yeux. Pour Nancy Friday, et pour Elsa, mentir est une stratégie de compromission. Cela évite les

1. Nancy Friday, *Ma mère, mon miroir*, J'ai lu, 2010.

disputes en présentant une fausse image de soi. De plus, Friday remarque que le mensonge est réfléchi : la mère, qui ne trouve pas d'écho dans la voix honnête de son enfant, mais qui prétend pourtant l'aimer, ment.

Aucun enfant ne s'attend raisonnablement à ce que sa mère accède à ses moindres désirs. Tous les enfants ont besoin de l'intervention de leur parent pour contrôler leurs pulsions. Ils doivent tolérer la frustration, apprendre la patience et donner la priorité aux objectifs à long terme plutôt qu'aux satisfactions immédiates. Quand le parent considère la volonté de l'enfant comme mauvaise et dangereuse, quand les états intérieurs de l'enfant sont considérés comme pervertis, alors l'enfant se sent perdu et doute de lui. Au lieu de montrer de la curiosité et du plaisir face à l'expression du moi de l'enfant, le parent dominateur instille de la culpabilité. Au lieu de faire office de caisse de résonance pour le moi en développement de l'enfant, le parent dominateur décourage toute connexion avec l'enfant. Le parent dominateur revendique son expertise de la personnalité, des désirs et des besoins de l'enfant. En tant qu'expert, le parent refuse d'écouter et d'apprendre au contact de l'enfant, il assimile son rôle à celui d'un chef d'orchestre. Ces efforts complexes pour briser la volonté de l'enfant sont décrits par la psychanalyste Alice Miller comme de la « pédagogie noire[1] ».

1. Alice Miller, *C'est pour ton bien*, Aubier, 1998.

QUI EST LE PROPRIÉTAIRE DE MON HISTOIRE ?

Le neurologue Antonio Damasio établit une distinction entre le moi-central et le moi-autobiographique. Le moi-central est axé sur nos réactions, nos désirs et nos sentiments individuels, qui sont profondément personnels et spécifiques à chacun de nous. Nos cerveaux sont conçus pour observer le monde qui nous entoure. Nous enregistrons petit à petit ce que nous voyons et nous donnons un sens à nos expériences, pas toujours consciemment, mais émotionnellement et physiquement. Damasio compare cela à un film qui se déroulerait à l'intérieur de nous, la conscience que nous avons de regarder ce film nous donnant une notion de temps et de continuité : voici ce que nous ressentons, ce dont nous nous souvenons, qui nous sommes et comment nous évoluons.

Le moi-autobiographique est l'histoire publique que nous entendons ou que nous racontons à propos de nous. Le moi-autobiographique est vulnérable à la distorsion et au déni. Parfois, notre entourage et nous échafaudons des histoires fausses sur nous-mêmes. Si nous nous retrouvons impliqués dans des mensonges, il y a une déconnexion entre ce que nous pensons vouloir, qui nous pensons devoir être, ce que nous pensons vraiment et ce que nous savons vraiment au fond de nous. Normalement, nous révisons ce moi-autobiographique quand nous prenons des décisions pour avancer. Les personnes importantes (notamment la mère) peuvent entraver ce réajustement.

Les enfants aiment qu'on leur raconte des histoires sur l'époque où ils étaient bébé et ils dépendent souvent de leurs parents pour comprendre des histoires à leur sujet et sur leur famille. Quand le parent complète les chapitres manquants dans le moi-autobiographique de l'enfant, celui-ci lui apprend comment raconter des histoires, comment elles peuvent être imprégnées de sens et d'intérêt et comment différents événements et actions sont liés. Mais l'enfant a aussi besoin de la liberté d'écrire sa propre histoire – qui aura pris forme au cours du développement du moi-central. Dans des conditions saines, le moi-autobiographique est formé par le moi-central et peut en supporter la richesse. Quand le parent interfère dans ce délicat processus d'interaction, l'enfant se sent piégé dans la version rigide forgée par le parent d'un moi-autobiographique. La conscience du moi-central se relâche et l'enfant commence à perdre le contact avec son propre registre d'expérience.

Le parent dominateur essaye de prendre en charge à la fois le moi-central et le moi-autobiographique de l'enfant. Les expériences progressives de l'enfant sont perturbées par les intrusions répétées du parent. Il régit ce que l'enfant doit voir, ressentir et vouloir. Il intervient constamment dans le fil de ses expériences. Alors que l'adulte prend possession de l'enfant, celui-ci perd le contact avec ses propres états intérieurs. Il est donc en droit de se demander : « Pourquoi ma mère n'est-elle pas disposée à réviser l'opinion qu'elle a de moi ? Dois-je adhérer à son histoire pour être acceptable ? Connaît-elle vraiment mieux que moi la vérité à mon sujet ? Suis-je capable de savoir ce que je veux ? »

Normalement, l'enfant résiste aux tentatives du parent qui prétendrait savoir mieux que lui ce dont il a besoin. « Je ne veux plus de ça depuis mes 7 ans ! », aboie un enfant de 13 ans, offensé par la vision dépassée de sa mère. Ces ajustements sont souvent abrupts et maladroits, notamment pendant l'adolescence. Mais de ces chamailleries vient la vitalité. L'enfant qui grandit est ouvert à de nouvelles possibilités. « Regarde-moi autrement », implore-t-il, dans l'espoir que le parent finisse par le voir d'un œil neuf. Aucun parent ne s'y plie de bon gré, mais le parent dominateur voit ces demandes d'un mauvais œil.

La différence entre le contrôle parental sain et nécessaire et le contrôle néfaste réside dans son caractère, son intention et son objectif. Un contrôle sain énonce des valeurs générales et édicte des règles précises ; il est appliqué par l'écoute au sens large et il respecte la capacité de l'enfant qui grandit à se conformer aux exigences générales de la vie. Le contrôle d'une mère toxique se fonde sur une *idée fixe* qui s'applique sur une base quotidienne : « Je sais qui tu es et pas toi », « J'ai besoin que tu sois ça et c'est plus important que ce que tu veux toi ».

CONTRÔLE SOUS FORME D'IMBROGLIO ÉMOTIONNEL

Le contrôle n'est pas toujours coercitif. Il s'impose parfois de façon insidieuse, sans manifestations de cruauté. Le parent prend simplement possession des pensées et des sentiments de l'enfant, qui a le choix entre se modeler à l'image du parent et se conformer à son flot continu d'instructions, ou être la proie de l'anxiété et de la désapprobation du parent. Au lieu de prêter attention aux signaux de l'enfant, le parent considère son cœur et son esprit comme des récipients devant être remplis avec ses pensées et ses sentiments à lui, l'adulte. Au lieu de se montrer sensible aux états intérieurs en devenir de son enfant, le parent se considère comme le gardien et le maître de l'esprit de l'enfant. Le message est : « J'ai besoin que tu veuilles/penses/ressentes de telle façon », « Tu n'as pas le droit de changer ».

Pour satisfaire ce parent, l'enfant doit développer ce que le psychanalyste Donald Winnicott appelle un « faux moi ». C'est un moi-autobiographique écrit par le parent, façonné par les souhaits du parent et déconnecté du moi-central de l'enfant. Une mère toute-puissante n'est pas toujours consciente qu'il y a une différence entre ses désirs et ceux de son enfant. Son insécurité peut faire que la mère aura du mal à faire confiance aux instincts de celui-ci. Son doute de soi la pousse à supposer qu'il ne peut pas fonctionner sans son contrôle constant. Les limites incertaines entre ses propres besoins et objectifs et ceux de son enfant aboutissent à un imbroglio émotionnel. La mère ignore ou marginalise les expériences de sa fille ou de son fils parce qu'elle ne se rend pas compte qu'elle ne détient pas l'autorité ultime sur l'enfant. Son attention devient coercitive, car elle contrôle les sentiments de son enfant et émet des jugements sur ses moindres pensées ou émotions, considérant alors le monde intérieur de son enfant comme un satellite du sien.

L'imbroglio émotionnel génère une extrême confusion. Les enfants prennent un plaisir élémentaire à leur individualité. Ils testent des voies qui sont à la fois similaires et différentes de celles empruntées par leurs proches. Quand ils réclament leur propre espace, ils veulent en fait se livrer à une réflexion ininterrompue sur leurs limites et connexions personnelles. Quand la mère ne voit pas que son enfant est une autre personne, ce dernier en arrive à douter de sa propre expérience subjective : « Mon ressenti peut-il être vrai puisque ma mère "connaît" mes sentiments et dit qu'ils ne sont pas ce que je pense ? » « Lui suis-je inconnu puisque mon moi-central est inacceptable ? ».

Voyons maintenant trois instantanés de deux jeunes adultes et d'un jeune adolescent qui s'efforcent d'avoir leurs propres idées, mais qui sont entravés par leur mère qui pense à leur place.

Tom est un ancien militaire qui s'efforce de se réadapter à la vie civile. À 23 ans, il a besoin du soutien et de la compréhension de sa mère qui l'a toujours placé sur un piédestal et qui refuse d'entendre parler de son profond désarroi. Même s'il a été formé pour agir sans tenir compte de sa propre sécurité physique, ce dilemme relationnel le remplit d'une peur qu'il décrit comme « irrépressible ». Les « yeux aveugles et les oreilles sourdes » de sa mère le rendent « malade, vide et en chute libre ».

Gérald, 19 ans, essaye de surmonter son échec en première année d'université, mais sa mère affirme qu'« il a toujours voulu être mathématicien », donc il est hors de question qu'il change d'orientation. Sa mère attribue son échec à des causes variées : sa petite amie, la grippe, son incapacité à suivre le programme de révision qu'elle avait défini. En revanche, d'après Gérald, elle ne tient aucun compte de « toutes les choses que j'essaye de lui dire sur ce que je veux vraiment faire. Elle demande : "Pourquoi parles-tu ainsi ?" Une minute plus tard, elle me lance un ordre après l'autre. Je n'arrive pas à réfléchir. Je ne ressens rien. Tout ce que je vois, c'est sa volonté de fer ».

Quand la famille subit un changement brutal, une relation toxique peut émerger de ce qui était autrefois un équilibre confortable. Le père de Joëlle a fait office de tampon entre sa fille de 14 ans et sa redoutable mère. Après le décès de son père, Joëlle, et sa mère, Paula, luttent de façon très différente contre le chagrin. La détermination de Paula à avancer et à tourner la page ne laisse aucune place au rythme différent des réactions de Joëlle. Elle lui dit que sa dépression est une maladie et elle l'envoie se faire soigner chez un thérapeute. Paula ne peut pas laisser Joëlle faire son deuil à sa façon. « Je ne sais pas ce que je ressens », dit Joëlle. « Je ne sais pas si je ressens quelque chose. Maman s'insinue entre mes sentiments et moi. »

Dans une relation saine, la réaction de la mère peut aider son enfant à mentaliser – comprendre, réfléchir et contextualiser – ses propres pensées et émotions. Une mère toute-puissante, au contraire, lie étroitement les pensées et sentiments de son enfant aux siens.

ÊTRE PARENT DANS UNE CULTURE DE DOMINATION

Un parent peut essayer de briser la volonté de son enfant pour le préparer à une culture de domination.

« Comment doit être mon enfant pour s'en sortir dans la vie ? » est une question que se pose tout parent. En général, cette question est prise au sens large, avec un vaste éventail de solutions possibles. Ce qui est envisageable en un lieu précis est considéré parallèlement aux envies, inclinaisons et talents propres de l'enfant. En général, la question du parent est l'occasion d'une longue conversation flexible qui est constamment ajustée en fonction du développement de l'enfant. Quand le parent s'intéresse uniquement à ses objectifs et idéaux rigides, l'enfant est confronté à un dilemme. D'un côté, il y a la croyance sincère du parent qui est persuadé d'agir pour le bien de l'enfant ; de l'autre, il y a un mépris total des désirs de l'enfant. « Qu'est-ce qui est mieux pour mon enfant ? » devient une façade de marbre sur laquelle sont gravées des images d'amour et d'attention alors que le moi-central de l'enfant est ignoré.

Dans une société marquée par la compétition, où les gens qui ont des compétences, des talents, de l'expérience, un certain niveau d'éducation et de formation sont tous en rivalité dans la course à la réussite, les parents contrôlent leur enfant par le biais d'un emploi du temps où les cours de soutien et les activités artistiques et sportives s'enchaînent sans répit. Le parent défend sa domination en en appelant à l'intérêt supérieur de l'enfant, mais ce n'est pas nécessairement ce que ce dernier ressent. Le parent devient intransigeant ; les volontés s'affrontent dans d'âpres batailles ; et l'effort coercitif risque d'épuiser et de miner l'imagination et la conscience de soi de l'enfant.

Historiquement, ce sont les normes de genre qui dictaient le sens du contrôle parental. La mère elle-même pouvait être confrontée au dilemme d'imposer des contraintes cruelles ou de manquer à son devoir d'inculquer des normes sociales à son enfant. Dans son roman *Les Pieds bandés*[1], Emily Prager décrit la mutilation qu'une mère et une tante infligent à une fillette de 6 ans en lui bandant les pieds. Pourtant, ses voûtes plantaires brisées et ses orteils repliés sous la plante de ses pieds la handicaperont et la feront souffrir toute sa vie. Sa mère veille au bon déroulement des opérations, certaine que ce contrôle est dans l'intérêt supérieur de sa fille. S'érigeant en « experte » du principe culturel qui veut qu'une femme ayant des grands pieds soit inapte au mariage, la mère est insensible aux protestations de sa fille.

Les normes sociales peuvent inciter le parent à exercer un contrôle cruel par le biais de la mutilation génitale que l'on nomme l'excision. Au nom

1. Emily Prager, *Les Pieds bandés,* Denoël, 1986.

de l'amour, les mères deviennent des complices dans l'exercice d'un contrôle cruel sur leurs filles. Il n'est fait aucun cas de l'anéantissement de l'enfant qui se sent trahi ; ses protestations sont illégitimes ; sa résistance est considérée comme de l'entêtement ou un caprice. Dans ces circonstances, la mère est toxique, tout comme d'autres forces qui régissent la vie de l'enfant. La mère est elle-même sous emprise ; mais, du point de vue de la petite fille, sa mère est la personne vers laquelle elle se tourne pour être protégée. Quand la mère contrôle plus qu'elle ne protège, l'enfant se sent à la fois réduit au silence et furieux.

Le bandage des pieds et l'excision sont des cas flagrants de contrôle coercitif ; mais il y a des pratiques moins visibles qui demeurent ancrées dans les cultures contemporaines. Des mères aimantes ordinaires bloquent parfois toute communication vitale en initiant leur fille aux coutumes d'une société qui impose des restrictions cruelles à leur vie sexuelle et intellectuelle. À cette fin, la mère peut exercer un contrôle et punir l'affirmation de soi, le franc-parler, l'individualité et l'honnêteté.

Les normes masculines peuvent aussi exiger la pratique parentale d'une pédagogie toxique. Quand une mère prépare son fils à devenir un homme, elle peut décourager toute connexion affective ; elle peut exprimer sa déception ou se moquer quand il montre de la peur ou de la tristesse. De la cour de récréation à sa majorité, la mère peut craindre que la sensibilité et la vulnérabilité de son fils ne minent son statut social. Pensant que son fils ne pourra pas réussir s'il ne se conforme pas au code masculin de l'indépendance, du courage et de l'ambition, elle peut couper le lien qui les unit pour « en faire un homme ». Pour les filles comme pour les fils, se voir imposer des normes sociales par le parent peut infliger le dilemme de la mère toute-puissante : « Soit tu te conformes à ce modèle, sois je te considérerai comme médiocre, décevant et détestable. »

ÉVALUER NOTRE RELATION ET SES EFFETS

Les mères sont des individus ayant leurs propres histoire, valeurs, manies et caractère. Elles ont leurs propres opinion sur ce que l'enfant doit faire, comment il doit se comporter, ce qui convient à ses talents, intérêts et besoins. L'expertise maternelle, qui est basée sur une longue histoire de réceptivité intime, est souvent profonde et sincère, mais elle exige de la souplesse et elle doit évoluer pour rester authentique. Quand un enfant grandit et évolue, le parent qui revendique de le connaître parfaitement doit continuer à l'écouter, au sens large. Quand un fils ou une fille se sent méconnu et invisible, quand sa voix n'est pas entendue, quand le parent essaye de contrôler l'histoire de l'enfant, alors ce dernier est vulnérable au doute de soi et à la confusion, son moi-central pouvant être caché à sa propre vue.

Si vous êtes aux prises avec un dilemme lié à la domination d'un parent, vous vous débattez peut-être avec une forme de doute de soi dans lequel vos désirs vous semblent suspects, et la perspective de prendre des décisions par vous-même vous inquiète.

- Paniquez-vous au moment de prendre une décision ?
- Entendez-vous une voix vous assénant des avertissements, même sur des sujets mineurs comme quel train prendre ou quel plat choisir au restaurant ?
- Vous demandez-vous ce que vous ressentez alors que vous ne sentez que du vide ?
- Pensez-vous que les autres vous jugent, tant sur des sujets futiles que sur des questions plus importantes ?
- Vous inquiétez-vous souvent de l'opinion des autres à votre propos ?
- Constatez-vous souvent qu'il est plus facile de mentir que de dire la vérité à votre sujet ?
- Pensez-vous généralement qu'il y a beaucoup d'aspects de vous-même auxquels vous n'avez pas encore réfléchi, et que vous avez encore moins développés ?
- Paniquez-vous quand on vous demande de sortir des sentiers battus ?

Si vous êtes adolescent, une réponse affirmative à ces questions peut être liée à votre âge. Si vous avez récemment pris de mauvaises décisions, une réponse affirmative à trois questions ou davantage peut être une réaction temporaire à un événement perturbateur récent. Mais si ces marques de doute de soi semblent ancrées dans votre personnalité, il pourrait être utile de vous demander si vous n'êtes pas encore aux prises avec le dilemme imposé par votre mère toute-puissante.

Même en tant qu'adulte ayant fondé son propre foyer et n'étant plus sujet au contrôle quotidien maternel sur des questions aussi bien dérisoires que cruciales, vous pouvez avoir intériorisé le dilemme. Mais il est toujours possible, à n'importe quel stade de la vie, d'apprendre à gérer ses propres réactions. Vous pouvez aussi trouver une autre oreille attentive et apprendre l'introspection et l'expression de soi dans le cadre de relations étroites avec d'autres personnes, comme votre père, un frère ou une sœur, un ami ou votre partenaire. Quand vous parvenez à identifier ce qui fait la toxicité de la relation avec votre mère et de quelle façon cela vous affecte, vous pouvez préparer votre résistance contre ses effets négatifs.

Les voies qui mènent à la résilience ne sont pas toutes tracées. Vous devrez redéfinir vos besoins élémentaires en identifiant vos désirs et vos sentiments.

L'étape initiale consiste à s'observer et s'écouter soi-même, à noter ce qui vous plaît, vous attire et ce qui vous paraît facile et agréable. « Gardez votre esprit à l'esprit » – en vous souciant constamment de vos observations et réactions – pour combler les vides dans votre esprit.

Il y a aussi de nombreux traits positifs que vous avez appris en négociant avec la domination de votre mère.

- Dévoilez-vous uniquement vos pensées lorsque vous êtes sûr de vous et de pouvoir les défendre ?

- Êtes-vous capable d'évaluer les points de repère de l'autre, puis de réfléchir à des façons de ne pas tenir compte de leurs jugements dans vos décisions ou de trouver des voies de contournement ?

- Êtes-vous capable de « réviser » votre récit – les détails que vous en donnez – sans en perdre le fil ?

- Comment réagissez-vous face à une personne que l'on pourrait qualifier de dominatrice ? (a) Vous l'évitez ou (b) vous êtes attiré par elle.

Si ces traits de caractère s'appliquent à vous, alors il est probable que vous avez non seulement essuyé les effets d'un dilemme relationnel toxique, mais que vous en avez tiré des leçons.

5

LA MÈRE NARCISSIQUE

Le bébé apprend la joie de la connexion quand sa mère répond à son regard et lui montre de la curiosité et du plaisir. D'autres personnes, au fil de notre vie, influencent notre personnalité, mais cette première connexion forte exerce un impact particulier. « Tu as vu ? », appelle l'enfant qui fait du vélo tout seul. « Regarde ! », s'exclame-t-il quand il a terminé son puzzle. Qu'il dessine, construise une tour, coure ou coupe sa nourriture, l'enfant recherche l'attention et le plaisir de son parent pour son moi en développement.

En grandissant, nous attendons de nos parents des réactions plus complexes. Nous devenons critiques et exigeants : « Tu ne fais pas attention ! » ou, au contraire, « Ça ne te regarde pas ! ». Pendant l'adolescence, nous sommes encore plus exigeants concernant le regard du parent. Les plaintes fréquentes à propos de leur mère – « Elle ne voit pas », « Elle n'écoute pas », « Elle ne peut pas comprendre » – qui jalonnent le discours des adolescents proviennent d'une combinaison d'attentes élevées et de frustrations. L'adolescent espère influencer l'opinion de son parent sur le fait qu'il a changé par rapport à l'enfant que le parent pensait connaître. Ayant l'esprit de contradiction, le jeune est parfois certain que son parent est incapable de comprendre son univers complexe ; il lui en veut aussi pour son incapacité à lire dans son cœur, tout en exigeant plus d'intimité. Pourtant, quel que soit notre âge, nous sommes particulièrement sensibles au point de vue de notre mère et son regard demeure un point de référence dans nos vies.

Quand le processus de miroir est déformé par les besoins, les peurs ou les limites de sa mère, l'enfant perd une source importante d'introspection. Nous allons ainsi nous intéresser dans ce chapitre aux mères qui exigent que leur enfant leur renvoie une image rassurante, flatteuse et valorisante d'elles-mêmes.

Les voix des hommes et des femmes qui décrivent leur expérience du dilemme posé par la mère toxique sont celles des 176 personnes qui ont participé à mes recherches sur des adolescents et leurs parents, ainsi que sur des adultes et leurs parents, au cours des quinze dernières années. Sur ces 176 personnes, 35, soit un peu plus de 20 %, ont vécu auprès d'une mère toxique. Sur ces 35 personnes, 11, soit à peine un tiers, décrivent leur mère en des termes qui suggèrent un comportement pouvant être qualifié de « narcissique ».

EGO DÉMESURÉ OU MOI FRAGILE ?

Dans la mythologie grecque, Narcisse était un jeune homme si absorbé par sa propre beauté qu'il était incapable d'aimer et d'admirer une autre personne que lui. Alors qu'il se penchait au-dessus d'une mare pour étreindre sa propre image, il se noya.

Dans le langage courant, on dit qu'une personne est « narcissique » quand elle ne s'intéresse qu'à elle, quand la conversation ne tourne qu'autour d'elle.

Les narcissiques surestiment énormément leurs prouesses. Ils exagèrent leur importance par rapport aux autres. Même si leur sentiment de supériorité semble parfaitement intact, ils doivent constamment être rassurés. Ils exigent d'être admirés, mais ils sont toujours à l'affût du moindre défaut. Ils en veulent à quiconque serait en quête d'attention, de réussite ou d'éloges pour lui-même. Ils perçoivent la suffisance d'autrui comme un affront à la leur.

Nous avons tous des besoins et des traits narcissiques. Cela peut aussi s'appeler de l'amour-propre. La face saine du narcissisme est simplement l'estime de soi. Nous voulons que les gens remarquent que nous avons fait quelque chose de bien. Quand nous sommes contents d'être complimentés pour un repas que nous avons cuisiné ou pour notre apparence, nous cherchons à satisfaire nos besoins narcissiques au sens large. Quand nous sommes fiers du travail accompli, nous savourons un narcissisme sain.

Notre besoin que les autres renforcent notre estime de soi est plus important à certaines étapes de notre vie qu'à d'autres. Quand nous n'avons pas une bonne image de nous, nous avons besoin de plus d'attention. Quand une mère est peu soutenue par ailleurs, elle peut exiger plus d'attention et d'appréciation de la part de ses enfants. Le narcissisme, plus généralement, est le besoin d'être vu et apprécié et c'est un besoin très humain.

On dit que le narcissique dont la soif de reconnaissance dépasse un niveau sain a un ego démesuré mais, en psychologie clinique, le qualificatif « narcissique » s'applique à toute personne ayant une image de soi très fragile. La majorité des gens qui sont cliniquement diagnostiqués comme ayant un « trouble de la personnalité narcissique[1] » sont des hommes, mais la difficulté particulière posée par la mère narcissique est due au besoin d'attention et d'empathie de l'enfant.

En règle générale, la mère narcissique fluctue entre des idées de grandeur et une insécurité très forte. Se sentant blessée, humiliée, creuse et vide, elle se tient sur la défensive. Elle est prompte à s'en prendre à quiconque pourrait la priver de l'adoration qu'elle recherche. Elle surveille atten-

1. Dans *Diagnostic and Statistical Manual of Mental Disorders*, 4e édition, on apprend que 50 % et 75 % des personnes diagnostiquées comme ayant un « trouble de la personnalité narcissique » sont des hommes. La 5e édition, qui sera publiée en 2013, a éliminé ce trouble de la liste au motif qu'il est moins utile d'identifier un prototype présentant l'ensemble des caractères liés que d'établir un diagnostic général de trouble de la personnalité avec des caractères narcissiques et manipulateurs.

tivement le comportement de l'autre pour y guetter des signes éventuels de critique ou d'irrespect. Tout manquement est ressenti comme un affront. Toute remarque insignifiante est interprétée comme un manque d'appréciation ou de respect, et des conversations apparemment décontractées aboutissent à des rancunes tenaces. Une remarque que beaucoup jugeront neutre est vue comme du dénigrement, voire une insulte. Quand son interlocuteur exprime son opinion, elle peut se sentir outragée de ne pas avoir le dernier mot. Elle peut même aller jusqu'à claironner haut et fort son indignation et punir ceux qui ne reconnaissent pas sa supériorité. Dans ses accès de rage, elle déborde de mépris pour les autres. Le message est : « Vous pensez peut-être être quelqu'un, mais je n'ai que du mépris pour vous, donc je vaux mieux que vous. »

Il est difficile de discuter avec un narcissique. Aussi disproportionnée que sa colère puisse paraître, elle est parfaitement justifiée à ses yeux. Si vous essayez de le raisonner, sa colère risque d'empirer. Si vous voyez les choses autrement, alors vous l'offensez. Il se base sur la supposition que tous ceux qui ne sont pas transis d'admiration devant lui lui en veulent.

Dans un état d'esprit narcissique, la mère est quasiment incapable de montrer à son enfant la mutualité et la réceptivité qui sont centrales à toute relation saine. Au lieu de refléter les états intérieurs de l'enfant, elle exige que celui-ci lui renvoie une image magnifiée d'elle-même. Toute demande d'attention lui fait concurrence. Par exemple, quand l'enfant se plaint d'être fatigué ou déçu, elle répond : « Ne me dis pas que tu es fatigué. Je suis épuisée. J'ai travaillé dur toute la journée. Tu ne sais pas ce que ça veut dire d'être fatigué », « Je ne veux pas t'entendre dire que tu es déçu. Pense à ce que j'ai dû endurer ».

Mais la mère voit aussi l'enfant comme une partie d'elle-même ; par conséquent, il doit être exceptionnel pour la mériter. L'enfant subit des pressions à la fois pour être subordonné à la supériorité de sa mère et pour briller selon ses conditions. L'inconstance, la confusion et des exigences déroutantes et incessantes sont le lot commun de ceux qui vivent dans cet environnement relationnel toxique. Les enfants qui sont confrontés à ce dilemme adoptent généralement l'une des deux stratégies suivantes : l'apaisement ou la rébellion.

RASSURER UN NARCISSIQUE

Les enfants veulent faire plaisir à leurs parents. Malgré la pétulance du bambin de 2 ans, l'espièglerie de l'enfant de 7 ans et l'*hybris* (démesure des sentiments) de l'adolescent de 15, les enfants sont heureux de savoir que leurs parents sont contents d'eux. Si la mère exige que son enfant l'adore, alors celui-ci commence par obtempérer. Mais les besoins d'un narcissique ne sont jamais satisfaits ; la soif d'attention et d'adoration vient d'un moi instable ; toute satisfaction est de courte durée. Le dilemme – comble mes besoins ou je te traiterai avec mépris – exige des efforts constants. Tout succès par complaisance est fugace et l'enfant vit dans une ambiance permanente de mépris, quels que soient les efforts qu'il déploie.

La personne narcissique paraît sûre d'elle, mais en réalité elle a l'impression d'être au bord de l'effondrement. Cela fragilise toute relation. Les enfants d'un parent narcissique ont souvent l'impression que leur relation peut se briser à tout moment. Ils sont constamment sur leurs gardes de peur de l'offenser. Les critiques habituelles chez l'enfant – et particulièrement pendant l'adolescence – constituent des menaces démesurées pour la mère narcissique, qui y répondra probablement par la douleur et avec fureur : si son enfant ne lui montre ni amour ni respect, alors il n'est pas digne de son affection. L'enfant d'une narcissique aura été certainement témoin des rejets fréquents et définitifs d'amis, de voisins, de frères et sœurs qui l'auront « insultée » d'une façon ou d'une autre ; il sait donc que le risque de rejet est bien réel.

Certains enfants tentent d'apaiser le narcissisme incontrôlé de leur mère. Ils la flattent, lui montrent de la déférence, font passer ses sentiments d'abord. Mais, au mieux, leurs efforts lui offrent une satisfaction provisoire et leur relation demeure instable.

À 32 ans, Sandra garde un souvenir net et précis des fluctuations de l'ego maternel se gonflant et se dégonflant :

Quand je prononçais les mots qui lui convenaient, elle se ressaisissait et sa bouche et ses yeux débordaient d'amour. Quand j'étais toute petite, j'étais aux anges, mais je n'ai pas tardé à comprendre que ce ruissellement d'amour pouvait se transformer en torrent d'injures. Un petit mot de travers ou un geste malencontreux l'offensait inévitablement, et tout son corps se mettait à trembler. Je la vois encore maintenant : souffle coupé, menton relevé, dos tendu. Ses yeux devenaient des armes tranchantes et cruelles, parce que je méritais les flèches qu'elle aurait voulu tirer dans mon cœur. Je savais ce qu'elle allait dire : « Comment oses-tu ? », « Tu te prends pour qui ? » et, évidemment, « Si tu me traites comme ça, tu ne resteras pas sous mon toit ».

Même si, par bien des aspects, Sandra est plutôt sûre d'elle, une partie d'elle reste vulnérable au mépris maternel. Beaucoup d'enfants de mère narcissique entendent une voix intérieure extrêmement critique ; c'est une version intériorisée de la voix de leur mère qui s'est gravée dans leur tête comme de la programmation neurolinguistique. Elle se fait entendre dès que les choses tournent mal – que ce soit une légère maladresse dans une conversation ou un léger pépin dans une tâche courante. Sandra décrit son autoflagellation : « Je me dis que je suis "bête" et "bonne à rien", que je ne mérite pas d'être heureuse et que je ne réussirai jamais rien dans la vie. »

Quand cette programmation neurolinguistique se déchaîne, le fils ou la fille d'une mère narcissique s'effondre. La voix intérieure déclenche une guerre totale, aussi mineur et spécifique que soit le déclencheur. Cette programmation interne provient de la haine de soi que la mère narcissique déverse sur l'enfant. Comme la mère narcissique se sent vide, elle s'efforce de faire en sorte que les autres ne valent guère mieux. Ensuite, elle regarde la personne qu'elle a réduite en miettes et elle peut se dire : « Au moins, je vaux mieux que toi. »

L'ALLIÉ DU NARCISSIQUE

L'allié du narcissique aide ce dernier à entretenir ses illusions. Il approuve le point de vue du narcissique selon lequel quiconque oserait le critiquer, le défier ou admirer un autre plus sûr de lui commet un crime de lèse-majesté. Cet allié approuve aussi le frisson de plaisir que ressent le narcissique quand il savoure sa victoire ou condamne une insulte.

Quand un enfant participe au monde intérieur de sa mère, il se retrouve parfois piégé dans ses drames. Il lui est difficile de sortir de ce rôle parce qu'il ne connaît pas d'autre scénario interactif. Pendant de nombreuses années, Paul, aujourd'hui âgé de 37 ans, a été le plus grand admirateur de sa mère, Patricia. Il la regardait exactement comme il fallait : « J'étais convaincu que tous ceux qui la rencontraient l'aimaient instantanément. Je pensais qu'elle était merveilleuse. » Mais quand Paul a eu 16 ans et a commencé à avoir des petites amies, le côté fragile du narcissisme de sa mère a fait son entrée en scène. Elle l'accusait de nourrir des pensées négatives à son encontre : « Tu penses que je ne suis qu'une femme vieille et inutile. » Elle lui reprochait de ne plus l'aimer ou de ne plus la respecter. Il constata que le seul moyen de ménager sa vulnérabilité et sa froideur était de revêtir à nouveau l'adoration et la dépendance de l'enfant.

Aujourd'hui, Paul observe passivement l'effritement de son mariage, au bout de deux ans. « Ma femme n'arrive pas à comprendre que je dois être présent quand ma mère a besoin de moi. Quand ma mère a besoin de quoi que ce soit, je dois faire mon maximum. Les enjeux sont trop importants pour lui dire non. » Mais sa femme voit le problème autrement : « Ce n'est pas le temps qu'il consacre à Patricia, mais le fait qu'il prétende que je n'existe pas. Il n'a d'yeux que pour elle. Il m'aboie dessus quand je lui parle en sa présence. Il se plie toujours à ses moindres désirs. »

Il est peu probable que la personne narcissique comprenne pourquoi quelqu'un qu'elle aime a besoin de quelqu'un d'autre. Mais comme cet état d'esprit n'est pas conscient, elle peut nier férocement et sincèrement qu'elle essaye de restreindre son enfant ; dans le même temps, toutes ses paroles et actions continuent à exprimer son désir de le garder pour elle toute seule.

L'ENFANT FLATTANT LE NARCISSISME DU PARENT

Les enfants, avec leur capacité d'apprentissage et d'observation remarquable, avec leur beauté physique et leur charme naturel, comblent facilement le narcissisme sain du parent. « Quel bel enfant j'ai ! », pensent de nombreux parents. Il est facile d'être si absorbé par notre délicieux enfant que l'on en arrive à plaindre les autres parents parce que leurs enfants sont moins merveilleux.

« J'ai un enfant vraiment terrible ! », traverse aussi notre esprit quand l'enfant a mis à mal notre narcissisme en piquant une colère à la caisse du supermarché, en se tenant le plus mal possible à une réunion de famille ou en étant le dernier à ne pas savoir lire dans sa classe.

La plupart des parents tempèrent leurs besoins narcissiques quand ils se démènent du mieux qu'ils peuvent avec l'éducation de leur enfant, bien qu'il soit plus facile de réguler son amour-propre à certains stades de la vie de l'enfant qu'à d'autres. Le bébé, plein d'amour et d'aspiration envers son parent, fixant sur lui son regard adorateur, le rassure sur son importance et sa valeur. L'acceptation par l'enfant de la force et de la connaissance parentales, son empressement à imiter et à apprendre du parent, sont gratifiants. En revanche, l'adolescence constitue un défi pour tout parent. Les critiques condescendantes de l'ado sont blessantes, mais la plupart des parents s'en remettent vite et pardonnent. Toutefois, dans l'esprit d'une mère narcissique, les aléas de la vie auprès d'un enfant qui cherche qui plus est à préserver son indépendance sont intolérables. L'enfant est considéré comme « méchant » parce qu'il ou elle ne voit pas comment sa mère « mériterait » d'être traitée. Le fils ou la fille qui veut agir à sa guise peut aussi offenser son parent narcissique en ne brillant pas exactement comme ce dernier le voudrait.

La mère narcissique exige déférence et servilité mais il est à prévoir que son enfant se comportera aussi de façon narcissique. Il constatera peut-être que le meilleur moyen d'apaiser sa mère narcissique est d'occuper le devant de la scène et de briller au nom de sa mère. Le message est : « Pour apaiser mon narcissisme, tu dois être admiré par d'autres, puisque tu es un prolongement de moi. »

JOIE ET DÉSESPOIR

Mona Simpson dresse un portrait fascinant de sa mère narcissique dans son premier roman, *N'importe où sauf ici*[1]. Adèle est une anticonformiste qui a une haute opinion d'elle-même et peu de considération pour autrui. C'est aussi une narcissique qui exige deux choses de sa fille Ann. *Primo*, elle exige qu'Ann soit un public acquis à sa cause, *secundo*, qu'Ann devienne une star, parce qu'elle « mérite » une enfant star. Adèle éloigne Ann de son univers familier – l'école, ses camarades, son père et sa grand-mère qu'elle aime – pour poursuivre son rêve. La relation trépidante est à la fois exaltante et terrifiante.

L'un des aspects les plus déroutants de la relation avec une mère toxique est que cette dernière est rarement totalement mauvaise. Les attentes élevées du parent narcissique peuvent pousser l'enfant à l'excellence. Il peut aussi y avoir des aspects de la personnalité maternelle qui font le bonheur de l'enfant et lui font oublier la peur et la souffrance. Un narcissique peut emballer les autres par son autosatisfaction et son sens de l'aventure. Philippe, 28 ans, décrit sa mère Gaëlle comme

1. Mona Simpson, *N'importe où sauf ici,* Flammarion, 1998.

quelqu'un d'extravagant, impulsif, sophistiqué et chic. « Certaines fois, tout semble possible. »

Mais cette bulle est fragile, et la personne narcissique exige alors de ceux qui veulent rester proches d'elle de satisfaire ses besoins changeants. Si Philippe refusait d'accéder à ses demandes, sa mère menacerait de le rejeter. Et quand la mère narcissique profère ce genre de menace, elle les met à exécution. Un individu narcissique a la rancune tenace et n'accorde son pardon qu'après que le « coupable » l'a imploré à maintes reprises et s'est accusé de tous les torts.

ENFANTS DIFFÉRENTS, RÔLES DIFFÉRENTS, EFFETS DIFFÉRENTS

La mère peut être « toxique » dans le contexte d'une relation particulière et des réactions d'un enfant particulier. Parfois, la mère projette ses bons sentiments sur un enfant et ses doutes sur un autre. En psychologie, le terme *projection* est basé sur l'analogie avec le projecteur qui projette une image contenue dans l'appareil sur un écran. Cela désigne le processus de projection d'une chose qui est en nous sur quelqu'un d'autre. La position défensive narcissique – « Je suis merveilleuse, la meilleure et la plus importante » – est projetée sur l'un des enfants, qui est alors considéré comme exceptionnel et merveilleux ; la position sous-jacente du narcissique – « Je suis fragile et bon à rien » – peut être projetée sur un autre enfant qui sera alors dénigré. Le bénéficiaire de la projection négative est souvent une fille ; parce qu'elle est du même sexe que sa mère, elle reçoit la projection des sentiments sous-jacents de sa mère. Un fils reçoit davantage de projections narcissiques positives ; sa nette différence par rapport à sa mère fait qu'il sera davantage le bénéficiaire de ses images fantasmées.

Les enfants de même sexe peuvent aussi être concernés de différentes façons. Deux sœurs, Camille et Audrey, ont des expériences très différentes de leur mère. Camille, 36 ans, raconte :

Ma mère pense qu'elle n'est pas comme les autres : elle est différente, spéciale et bien meilleure. Quand j'étais enfant, il fallait que je sois spéciale et meilleure parce que j'étais sa fille. Elle est offensée quand les autres se vantent de leur fille. Elle pense qu'ils n'ont pas le droit d'être contents de leurs enfants. Cela la dévalorise s'ils sont fiers d'une chose qui leur appartient à eux et pas à elle. Elle a ressenti comme un affront personnel que je ne sois pas l'enfant le plus brillant du voisinage.

Ne partageant pas cette opinion, mais sachant que sa mère ne changerait jamais d'avis, Camille a regardé autour d'elle et a délibérément résisté à cet état d'esprit. Elle en a conclu qu'elle était satisfaite de ce qu'elle était devenue.

Audrey a réagi tout autrement :

Quand je recevais une médaille pour la seconde place à une course, tout ce qu'elle trouvait à dire, c'était : « Oh. » Puis elle marquait une pause glaciale, avant de demander d'un ton cou-

pant : « Qui est arrivé première ? » Je ne pouvais qu'espérer arriver première la prochaine fois. C'était évidemment rarement le cas, alors je me sentais nulle. Je tremble encore quand j'apprends qu'un ami ou un cousin a réussi quelque chose. Je sais que ma mère se tournera vers moi et me demandera : « Pourquoi l'as-tu laissé faire mieux que toi ? »

Tous les praticiens que je connais ont des patients qui se considèrent comme des ratés parce qu'ils ne sont pas parvenus à satisfaire aux exigences irréalistes d'un parent. Cela prend du temps de réaliser qu'aucune réussite n'est assez grande ou assez durable pour satisfaire la mère narcissique. Le mérite objectif a peu de rapport avec la satisfaction des exigences du parent narcissique. Audrey a tout intérêt à réaliser que sa mère sera déçue, quoi qu'il arrive, alors qu'elle pense pouvoir l'éviter en restant sur le devant de la scène.

Pourtant, être sous les feux des projecteurs est dangereux car la mère narcissique peut considérer que les succès de son enfant lui font concurrence. Pour se défendre, le fils ou la fille peut affirmer qu'un bon résultat est un coup de chance, que la récompense n'est pas méritée ou que c'est un hommage à leur mère. Ils répriment leur propre narcissisme sain pour plaire à leur mère qui se considère comme la seule méritante et ils deviennent alors sujets au « syndrome de l'imposteur ». Ils pensent que toute réussite est une erreur et que tôt ou tard, ils seront « démasqués » et dénoncés comme des fraudeurs. Cet état d'esprit revient à dire : « Je réussis parce que je parviens à feindre l'excellence mais, au fond de moi, je ne vaux pas grand-chose, je suis plutôt inapte. » Cet effacement est fréquent chez les gens qui subissent des pressions pour être brillants et qui sont conditionnés pour assurer les autres – leur mère narcissique qui est tellement importante – de leur soumission et leur infériorité.

RÉBELLION ET RÉSOLUTION

Apaiser le narcissisme de sa mère – que ce soit en la rassurant, en facilitant ou en satisfaisant ses besoins par procuration – a un coût et implique des compétences, mais un grand nombre de ceux qui usent de cette stratégie font preuve d'une grande intelligence : ils interagissent positivement avec autrui, contribuent bénéfiquement à la société et développent leurs talents. Le second schéma d'adaptation – la rébellion – est autodestructeur.

La mère de Jacqueline, Hélène, est professeur de littérature française. Ses collègues la trouvent stimulante et provocante. Ses étudiants l'adorent et la décrivent comme un enseignant peu avare de son temps et un merveilleux mentor. Sa fille, qui a 16 ans, voit la réussite de sa mère tout autrement. Comme beaucoup de personnes qui sont confrontées à un dilemme toxique dans cette relation forte, Jacqueline a su peaufiner ses réactions face au personnage de sa mère. Elle exprime parfaitement les motifs de sa propre colère : « Sa hauteur est comme un vice. Je réussis à ses conditions ou je suis de la crotte. Dès mes 12 ans, j'ai senti ses piques de déception et j'ai répliqué. » Jacqueline établit une distinction entre son opinion et celle des autres : « Si elle était mon professeur, je la trouverais merveilleuse. Je serais enthousiasmée par son originalité perverse. Peut-être m'inspirerait-elle. Mais en tant que mère elle m'écrase. » Sa perspicacité, au lieu d'atténuer sa colère, augmente sa frustration. « Elle ne changera jamais. Elle ne prendra jamais de recul pour voir les choses de mon point de vue. Je serai toujours la petite idiote qui ne sera jamais à la hauteur de son génie. »

Les bras de Jacqueline sont couverts de cicatrices. Elle a été hospitalisée parce qu'elle représente un danger pour elle-même, mais les menaces vont au-delà des épisodes d'overdose et des tentatives de suicide. Elle fréquente des personnes qui l'humilient. En rébellion contre sa mère qui vise le sommet, elle cherche à atteindre le fond.

La rébellion n'est pas de la résistance. La fille ou le fils qui résiste cherche une façon positive d'avancer. Or l'enfant qui se rebelle ne cherche pas à se libérer d'un parent, mais à se venger. En se rebellant, Jacqueline rate délibérément sa vie pour faire honte à sa mère.

LA CONFUSION AU CŒUR DU NARCISSISME

Nous nous retrouvons tous un jour ou l'autre aux prises avec une personne narcissique. Un collègue qui demande plus d'attention et des flatteries permanentes, et qui est incapable de voir que les autres ont aussi besoin d'être soutenus. Une voisine qui vient sans cesse nous voir pour nous annoncer de grandes nouvelles la concernant et qu'elle débite sur un ton pressé parce qu'elle imagine que nous avons hâte d'entendre les moindres détails de sa vie. En général, l'image de soi exigeante de l'individu narcissique nous laisse de marbre ; mais il arrive aussi que notre patience finisse par s'émousser. Plutôt difficile à vivre, le narcissique déborde d'énergie et de confiance. Mais pour le fils ou la fille, qui ne peut pas fermer sa porte à son parent, le narcissisme est profondément perturbant. L'enfant peut ressentir une sincère admiration et de l'amour pour son parent, mais celui-ci lui répétera inlassablement que son admiration et son amour ne sont pas à la hauteur de ce qui lui est dû. Il peut apprécier l'autosatisfaction de sa mère quand elle est « en forme », tout en étant écrasé par ses demandes d'attention et de réconfort dans ses phases anxieuses. Dépassé par l'exigence de devoir se concentrer sur elle, il est déboussolé quand il s'agit d'établir le sens de sa propre importance.

Dans *Bons baisers d'Hollywood*, un film de 1990, adapté du roman semi-autobiographique de Carrie Fisher sur ses relations avec sa mère, l'actrice Debbie Reynolds montre bien le délicat mélange de joie et d'exaspération de la mère narcissique. Quand Suzanne Vale (jouée par Meryl Streep) fait une overdose et manque de mourir, sa mère, Doris Mann (jouée par Shirley MacLaine), lui rend visite à l'hôpital. Sa première manifestation d'inquiétude pour la santé de sa fille est rapidement remplacée par son inquiétude au sujet de son apparence : « Qu'est-il arrivé à tes cheveux ? », demande Doris.

Comme la plupart des narcissiques, Doris ne voit que ce qui se rapporte à elle. Quand Suzanne accuse sa mère de ne pas vouloir admettre ce qu'il s'est passé, Doris balaye les sentiments de sa fille d'un revers de main en lui disant que c'est elle qui souffre le plus. Elle s'apitoie sur elle-même tout en essayant de lire dans les pensées de Suzanne : « Je suppose que tu vas rejeter la faute sur moi », se plaint-elle. Puis elle se lance dans une nouvelle tirade sur l'échec de sa fille.

Suzanne reçoit le message partagé qui est familier à tout enfant de mère narcissique : « Tu dois être une star pour être digne de moi, mais tu ne dois jamais me dépasser. » Suzanne est à la fois douée et autodestructrice. Elle a du talent, mais elle fiche toujours tout en l'air. Elle arrive saoule ou droguée au travail. Elle tombe amoureuse d'hommes qui l'humilient. Mais l'histoire ne s'arrête pas dans cette impasse. Le film, plein de bons sentiments, s'achève quand Suzanne découvre qu'elle peut aimer sa mère sans la mettre sur un piédestal. Quand elle acquiert assez de carrure, sa mère retrouve sa taille humaine et Suzanne peut trouver sa voie. Elle peut chanter comme elle l'entend, sans craindre que sa mère ne réprouve sa réussite.

Existe-t-il un moyen pour que d'autres personnes confrontées à une mère narcissique puissent éviter les nombreux déboires et comportements masochistes de Suzanne ? Y a-t-il une voie plus directe vers l'acceptation de soi ? Voyons ci-après quelques lignes directrices pour accélérer le processus de guérison.

ÉVALUER LES EFFETS D'UN PARENT NARCISSIQUE

Si vous devez négocier avec un parent narcissique, vous sentirez probablement que la relation est fondamentalement fragile. Un audit émotionnel implique de considérer ces questions :

- Avez-vous l'habitude qu'un parent vous félicite, puis vous assaille de critiques globales ?
- Avez-vous l'impression de devoir faire attention à ce que vous dites à votre mère ?
- Le moindre problème, au sein de la famille ou dans le monde, tourne-t-il au psychodrame ?
- L'humeur de votre mère domine-t-elle tout ?
- Ses sentiments sont-ils toujours prioritaires ?

Si vous avez été confronté à ce dilemme – « soit tu te soumets à mes besoins, soit tu seras la cause de ma déception ou la cible de ma dérision » –, alors il est probable que vous vous y êtes adapté par une forme d'apaisement ou de rébellion. Les conciliateurs apaisent la fureur et le doute de soi de la mère narcissique, ils appuient sa croyance en sa supériorité ou ils lui dédient leur propre réussite chèrement gagnée. Permettre à une mère narcissique de se mettre en valeur par procuration est un double jeu hasardeux. Il faut briller, mais sans lui faire de l'ombre. Il faut être sur le devant de la scène, mais sans lui voler le premier rôle.

Si vous vous êtes adapté grâce à la conciliation, vous êtes probablement doté d'un éventail de traits de caractère, certains utiles, d'autres ne faisant que vous nuire. Parmi les qualités utiles que vous pourriez avoir acquises, il y a :

La diplomatie : vous savez prendre des gants quand vous donnez votre avis.

La patience : vous savez vous tenir tranquille quand quelqu'un fulmine parce que vous avez appris que récriminer ou s'interposer face à un flot de mépris complaisant ne fait qu'empirer les choses.

Le perfectionnisme *(le côté positif) :* vous vous fixez un haut niveau d'attente et vous vous sentez obligé de confirmer une réussite en en décrochant une autre.

La sagesse : comme certaines personnes qui sont attirées par des traits de caractère auxquels elles sont habituées, même s'ils leur ont causé bien des souffrances, vous avez le don d'attirer des personnes « impossibles ». Vous vous méfiez des personnes qui paraissent géniales, mais qui ne montrent que du mépris envers autrui ou qui racontent des histoires dans lesquelles elles ont toujours le beau rôle.

Vous entretenez aussi des schémas de pensée et de comportement défaitistes :

Le syndrome de l'imposteur : vous dénigrez constamment vos prouesses et vous pensez que les personnes qui ont de l'estime pour vous se trompent.

Des attentes irréalistes envers vous-même, mais pas envers les autres : vous pensez que lorsqu'un autre a mieux réussi que vous par certains aspects, ses réalisations balayent la valeur de ce que vous avez accompli.

La déférence : vous montrez intuitivement de la déférence envers l'autre et vous travaillez dur pour faire savoir que vous êtes disposé à l'admirer. Peut-être pensez-vous que toute manifestation de confiance en soi vous vaudra des représailles.

Le perfectionnisme *(le revers de la médaille) :* vous êtes obnubilé par vos erreurs ou défauts et vous leur donnez plus de poids qu'aux résultats positifs de vos efforts.

L'autoflagellation : une voix intérieure se fait facilement entendre pour vous invectiver, vous assener des avertissements à propos de désastres provoqués par votre comportement.

L'autosabotage : vous sabotez vos chances quand vous êtes sur le point de réaliser un exploit. Peut-être avez-vous peur de montrer que vous êtes aussi bon, voire meilleur, que votre parent.

Si vous vous êtes adapté par rébellion, vous pratiquerez probablement une forme extrême d'autosabotage. Vous cherchez à vous venger en faisant honte à votre parent, malgré ce qu'il peut vous en coûter. Si vous vous identifiez aux schémas énumérés ci-dessous, vous devrez effectuer un changement de paradigme. Votre survie n'est pas assurée par ces stratégies :

- Est-ce que vous ratez souvent des occasions à cause de rendez-vous manqués ou d'une mauvaise organisation ?

- Avez-vous tendance à décevoir les gens qui essayent de vous soutenir ?

- Vous sentez-vous à l'aise en vous soumettant à des personnes qui revendiquent leur supériorité ?

- Vous liez-vous à des personnes qui vous humilient ?

- Êtes-vous terrifié par la réussite, aussi petite soit-elle ?

UTILISER L'AUDIT POUR AVANCER

Comprenez-vous comment ces traits de caractère ont surgi en réaction à une relation toxique avec votre mère ? Quand les comportements que vous désapprouvez sont remis en contexte, ils deviennent beaucoup plus gérables parce que vous voyez qu'ils n'ont aucun sens.

Imaginez que vous dites quelque chose du type :

J'essaye de me protéger contre les punitions que ma mère m'infligerait si elle pensait que j'étais fière de ma réussite. Je comprends qu'elle attend beaucoup de moi parce qu'elle veut que son enfant brille, mais en même temps elle en veut à quiconque prendrait plaisir à ses propres réalisations. Je vois bien que c'est incohérent et problématique et je dois me libérer de ce paradoxe.

La réussite d'autrui peut aussi vous rendre anxieux. Vous vous dites :

Ma mère voulait être considérée comme supérieure et elle était offensée par les tentatives des autres pour attirer l'attention. Quand d'autres se font remarquer par une récompense ou un signe de reconnaissance, je m'inquiète de décevoir ma mère car je ne leur ai pas volé la vedette. Je vois que le prestige qu'elle apprécie tant est bien fragile. J'ai intériorisé la crainte de risquer d'imploser si quelqu'un d'autre est sous le feu des projecteurs. Mais je peux réapprendre ce schéma parce que j'ai compris que la réussite et les talents d'autrui ne me retirent rien.

Voici quelques pistes de réflexion :

Peut-être aimeriez-vous vous réjouir davantage des talents et prouesses d'autrui.

Quiconque peut être provisoirement secoué par la réussite soudaine d'un ami ou voisin mais, quand on s'est adapté à une mère narcissique par imitation, on risque de se laisser envahir par un afflux d'anxiété. Est-ce votre cas ? Avez-vous l'impression de vous effondrer intérieurement quand une connaissance réalise une prouesse ?

Regrettez-vous d'avoir du mal à vous réjouir de la réussite d'un ami ?

Écrivez la liste des choses qui vous font plaisir et dont vous êtes fier pour vous aider à voir que les prouesses ou l'autosatisfaction d'autrui ne vous enlèvent rien.

Peut-être avez-vous remarqué que les autres décrochent quand vous parlez de vous et de vos réalisations, et, au lieu de penser qu'ils ont tort, vous ressentez de la sympathie pour leur point de vue.

Vous avez pris l'habitude de raconter des histoires dans lesquelles vous avez le beau rôle parce qu'autrefois ce type de conversation était normal. Vous pourriez le vérifier en rédigeant une conversation typique. Il n'y a rien de mal à chercher de temps en temps du réconfort et de la reconnaissance auprès d'autrui, mais ce n'est pas le seul but de la conversation. Essayez de prêter attention à ce qui vous plaît quand les autres parlent. Il est facile d'apprendre de nouvelles formes de conversation dès qu'on les remarque.

Peut-être vous débattez-vous avec l'impression que tout ce que vous aimez et dont vous êtes fier disparaît quand vous commettez ne serait-ce que la plus petite faute sociale.

Cette fragilité est la séquelle d'une éducation au sein d'une relation narcissique incontrôlée, surtout si votre mère a projeté son manque de confiance sur vous et réprouvait tout ce qui n'était pas parfait.

Il peut être utile de noter ce que vous dit votre voix intérieure qui vous pousse à l'autoflagellation. L'exposer au grand jour peut vous aider à prendre ces critiques pour ce qu'elles sont : extrêmes et absurdes. Essayez d'écrire un autre scénario, avec un point de vue plus large.

6

LA MÈRE ENVIEUSE

La réaction d'un parent fournit une somme d'informations édifiantes pour l'enfant. Son visage est un miroir, mais il révèle davantage. Normalement, quand nous nous aventurons dans le monde et que nous testons nos compétences, nous sommes soutenus par la confiance que notre parent a en nous. Son plaisir stimule cette confiance. Mais, dans certains cas, la joie de l'enfant, ses compétences ou ses opportunités deviennent un motif de ressentiment et d'anxiété. Au lieu de renforcer la confiance de l'enfant et de lui inspirer la conscience de son propre potentiel, la mère toxique envie l'indépendance et la fierté de son enfant. Au lieu de partager son plaisir, le parent s'interroge : « Pourquoi est-il heureux et pas moi ? », « Pourquoi a-t-il l'occasion de réussir alors que mes espoirs ont été déçus ? », ou « Et si sa réussite signifiait qu'il va me quitter ? ».

L'envie de la mère toxique trahit les conditions les plus élémentaires du contrat émotionnel conclu avec l'enfant.

L'envie est l'un des sentiments les plus déplaisants du registre des émotions humaines, à la fois pour la personne qui envie et pour la personne qui est enviée. Celle qui envie son enfant n'a presque jamais conscience de sa jalousie. Elle la cache derrière un vaste éventail d'explications de son déplaisir : « Tu as une trop haute estime de toi », accuse-t-elle. « C'est mon rôle de te remettre les points sur les i. » « Tes ambitions sont trop élevées ; tu cours droit à la déception. »

LA DOUBLE CONTRAINTE DE L'ENVIE

Normalement, les parents ont envie de voir le bonheur et la réussite de leur enfant. Mais cette réussite et ce bonheur peuvent susciter leur hostilité. Tout heureux de rapporter une bonne nouvelle, le fils ou la fille s'attend à ce que le visage du parent s'illumine ; mais, au lieu de cela, sa mâchoire se contracte, les commissures de ses lèvres retombent, crispées par le mépris. « Un jour, tu te rendras compte que tu n'es pas si génial », l'avertit sa mère. Ou bien, la première réaction est joyeuse, mais ensuite, vous remarquez que des choses ordinaires l'irritent. « Arrête de faire tout ce raffut. » « Pourquoi faut-il que tu ressasses toujours la même chose ? » Peut-être remarquez-vous qu'elle tombe malade, qu'elle a mal à la tête ou devient d'humeur morose juste au moment où vous espériez que votre bonheur serait partagé.

Vous finissez par comprendre que l'irritabilité, le dédain ou l'humeur renfrognée de votre parent sont liés à votre joie ou à votre réussite. Vous vivez avec l'étrange phénomène qui se nomme la peur de la réussite, car vous réalisez que la réussite aboutit non pas à la récompense de la satisfaction, mais au ridicule et au rejet. Comme votre mère n'a pas conscience de son envie, elle peut affirmer avec conviction : « Évidemment, je veux que tu réussisses. Rien ne me rendrait plus heureuse. » Vous vous efforcez de réussir dans l'espoir de la satisfaire, mais vous constatez que chaque prix remporté est une nouvelle offense.

Ce double message, avec sa déchirure paralysante entre ce qui sonne faux et ce qui sonne juste, mais qui est aussi profondément perturbant, crée une double contrainte. Le parent émet deux messages différents et opposés sur le comportement à adopter, portant chacun un coup émotionnel. Le premier message est : « Je serai heureux et je t'aimerai si tu te montres capable et confiant », mais le deuxième message, communiqué par la froideur, le repli sur soi ou la morosité, est : « Je te punirai si tu es heureux. »

Inconsciemment, les enfants comprennent très vite la force terrible de l'envie. Ils la reconnaissent quand ils la voient chez leur parent et cela les terrifie. La pionnière de la psychanalyse, Mélanie Klein, décrit l'amour et la colère infantiles comme des produits de l'envie primitive. Dans le modèle de Klein, l'ego fragile du nourrisson s'indigne dès que sa mère semble lui refuser quelque chose. Le bébé considère sa mère comme la source de satisfaction de tous ses besoins. Sa dépendance totale conduit à des demandes extrêmes et il veut la contrôler totalement. Klein pense que l'amour du nouveau-né pour sa mère enferme initialement des sentiments violents et ambivalents. Pour garder sa mère à ses côtés, le nourrisson veut la « dévorer » pour qu'elle soit « incorporée » à lui – littéralement retenue dans son corps. Parallèlement, Klein déclare que le nouveau-né veut détruire sa mère pour la punir de ne pas être totalement sous son emprise. D'après elle, l'envie primitive naît du désir de posséder et de détruire ce que nous aimons parce que nous ne pouvons jamais le posséder complètement.

Quand l'ego du petit enfant devient moins fragile, l'envie diminue. Le bébé apprend qu'il peut survivre même s'il ne peut pas contrôler son parent. Il apprend qu'il peut faire confiance à sa mère pour veiller sur lui, même si elle ne le fait pas immédiatement. Mais, surtout, l'enfant assimile une notion plus complexe qui veut que sa mère soit une personne aux multiples facettes qui ne fait pas que satisfaire à ses besoins. Le besoin d'un contrôle total de sa mère devient moins pressant tandis que le bébé grandit pour devenir un enfant qui est capable de prendre des mesures pour satisfaire lui-même ses besoins. Les gênes ordinaires, comme la faim et la fatigue, ne le submergent plus de peur.

Bien que l'envie infantile passe en grandissant, les enfants en gardent un souvenir inconscient et en perçoivent la force destructrice. Quand un frère, une sœur ou un ami est envieux, ils se sentent mal à l'aise. Quand un parent est envieux, ils sont projetés dans un environnement trompeur où il devient impossible de faire la distinction entre les dégâts et les réparations, le désir et la peur.

Toutefois, ce n'est qu'après des années de perplexité et de souffrance qu'un fils ou une fille ayant une mère envieuse réalise que celle-ci ne supporte pas son bonheur et ses compétences ! Ainsi, il a fallu que Peg Streep, psychologue américaine, arrive au tournant de son existence, sa propre fille étant presque devenue adulte, pour qu'elle regarde en arrière et qu'elle comprenne l'effet qu'elle avait produit sur sa mère. Quand elle était une petite fille au visage rond et aux cheveux bouclés, débordante d'énergie et de curiosité, sa joie de vivre avait le don de mettre sa mère hors d'elle. Ces caractéristiques enfantines que la plupart des mères savourent ont un goût amer pour les mères envieuses.

« JE NE VEUX PAS QUE TU AIES CE QUE JE NE PEUX PAS AVOIR »

Pour la plupart des mères, les qualités de leur enfant leur font encore plus plaisir que les leurs propres. Mais une succession de déceptions personnelles que la mère n'est pas parvenue à digérer, pardonner ou surmonter peut la rendre sujette à l'envie. Elle se sent menacée quand elle voit une personne qui aime la vie, qui est heureuse ou confiante. L'exubérance et l'énergie, particulièrement chez un proche, la remplissent de rage. *A contrario,* elle se sent démunie et en veut à son enfant pour les sentiments horribles qu'elle ressent.

Les rares déformations du miroir maternel – la mère narcissique et la mère envieuse – peuvent surgir quand la mère, dont les propres ambitions ont été déçues, ne supporte pas la réussite de son enfant. Dans *La Phalène,* Margaret Drabble décrit une mère à qui tout semblait sourire dans sa jeunesse[1]. C'était une jeune fille très prometteuse, qui avait confiance en son imagination et en son intelligence. Quand elle se marie, pensant franchir une étape socialement nécessaire, son intelligence et son imagination s'atrophient. Le mariage et la maternité enferment son existence dans le carcan rigide de la vie conjugale des années 1940. Au fil des ans, telle l'ombre d'elle-même, elle voit s'épanouir sa fille brillante. Elle transmet deux messages conflictuels à cette jeune fille, qui représente à la fois celle qu'elle était autrefois et celle qu'elle ne sera jamais plus. Le premier est : « Tu dois réussir par tes propres moyens si tu veux trouver le bonheur. » Le second est : « Si tu réussis, je t'accablerai de désapprobation. » La fille remarque : « Pourquoi réussir alors dans ces conditions ? Tu réussis ta vie, mais, au final, tu es tout de même malheureux. »

Les enfants qui se heurtent à cette réaction déconcertante croient détenir un terrible pouvoir. Pourquoi leur mère redoute-t-elle des choses qui leur font plaisir ? Pourquoi leurs efforts semblent-ils lui faire du mal ? Qu'ont-ils en eux qui déclenchent cette réaction déroutante ?

Fabienne, 36 ans, se souvient qu'étant petite elle croyait « être possédée par une sorte de magie

1. Margaret Drabble, *La Phalène*, Phébus, 2003.

noire incontrôlable », surtout quand, toute à sa joie, les accusations de sa mère s'abattaient sur elle.

Par certaines façons, c'est le paradoxe auquel est soumis l'enfant qui subit l'envie maternelle : si tu réussis, tu mets en danger la relation dont tu dépends. Mais, si tu échoues, tu déçois la personne dont tu dépends.

L'EFFET REBOND

Ce paradoxe peut aboutir à un effet rebond. En médecine, le rebond correspond aux efforts que fait le corps pour se rééquilibrer après la prise d'un médicament. Au cours de ce processus, le corps peut agir à l'encontre du médicament. Par exemple, la prise d'un somnifère peut envoyer des signaux au corps pour stimuler votre système de veille. Par conséquent, au lieu de vous aider à dormir, le sédatif vous garde en alerte. Vous vous dites alors que vous devez augmenter la dose de ce même médicament qui produit l'effet opposé à celui attendu.

Un schéma similaire se produit quand une mère dit « C'est ce que je veux pour toi » mais qu'elle exprime du ressentiment quand vous l'obtenez. L'enfant essaye de faire plaisir à sa mère en étant intelligent, en s'habillant bien, en réussissant à l'école, en sport ou en musique, mais il découvre que ses prouesses sont perçues avec suspicion, colère ou mépris. L'enfant redouble alors d'efforts pour plaire, mais il échoue à nouveau, et ainsi de suite. L'enfant peut persister à croire que le problème provient du fait qu'il n'est pas assez bon, alors que c'est tout le contraire. Comme sa mère envieuse est incapable d'admettre ses sentiments, elle justifie son ressentiment de telle façon que son enfant se sent honteux ou perdu. La honte et la confusion de l'enfant rassurent sa mère envieuse et le cercle infernal continue.

À 14 ans, Céline essaye d'obéir à l'injonction de sa mère qui est : « Montre que tu peux faire aussi bien que ta sœur. » Céline essaye de faire plaisir à sa mère, mais elle sent bien qu'elle ne peut pas égaler sa petite sœur Ambre qui, d'après Céline, est « plus jolie que Barbie et tout le monde l'adore ». Céline voit bien que, en comparaison, elle est « maladroite et moche ». Elle explique que sa mère se plaint de ce qu'elle « est trop exubérante » quand elle est joyeuse. Dès que Céline a des bonnes notes et rapporte un excellent bulletin pour montrer qu'elle a eu « de meilleures notes qu'Ambre », sa mère l'accuse de « se vanter ».

Les thèmes que Céline décrit – mépris pour sa fierté ou son plaisir, comparaisons acerbes avec sa sœur – suggèrent un schéma d'envie. Céline s'efforce d'assembler les messages déconcertants et contradictoires. Qu'est-ce que sa mère attend réellement d'elle ? Qu'est-ce qui lui vaut sa désapprobation ? Comment peut-elle se défendre contre la déception de sa mère à propos de ses résultats scolaires sans s'exposer à ses critiques concernant sa vantardise ? Dans quelle mesure sa joie et sa fierté, et sa façon naturelle de les exprimer, menacent-ils sa relation avec sa mère ? Cette dynamique perverse est-elle caractéristique de toutes les relations intimes ou uniquement de sa relation avec sa mère ? Comment répondre à ces questions quand les messages à double contrainte de sa mère lui font douter de sa propre capacité de jugement ?

Une relation toxique est aggravée par l'incapacité de l'enfant à comprendre ce qu'il se passe. Quand l'envie s'infiltre dans une relation intime, cette relation devient incohérente. Les enfants réalisent que les bonnes choses de leur vie peuvent être ressenties comme des offenses, et qu'elles peuvent même faire du mal à la personne qui leur est la plus chère et qu'ils s'efforcent de satisfaire.

IL EST DANGEREUX D'ÊTRE DIFFÉRENT

L'envie est parfois liée à un imbroglio émotionnel – l'incapacité à faire la distinction entre soi-même et son enfant. Dans une relation embrouillée, le parent ne parvient pas à connaître son propre enfant. Au lieu de percevoir les signaux de son enfant à propos de ces pensées et sentiments, le parent émet des hypothèses sur la personnalité de celui-ci. La différence est rejetée (« Ce n'est pas ce que tu es vraiment ») ou elle est considérée comme de la bêtise, une erreur ou de la méchanceté. Se sentant menacé, le parent tente de détruire l'individualité multiple de son enfant.

Imaginez qu'une mère ne puisse pas distinguer ses propres besoins et sentiments de ceux de son enfant. Si sa vie est pleine d'insatisfaction, elle suppose que celle de son enfant l'est aussi. Si elle a peur des difficultés et du changement, alors son enfant doit aussi éviter ces choses. Quand ce dernier persiste à être heureux, curieux, téméraire ou optimiste, elle a l'impression qu'il se moque d'elle à cause de ses manques. De plus, parce qu'elle pense que son enfant ne doit pas être différent d'elle, elle perçoit les efforts qu'il déploie pour penser autrement, agir différemment et poursuivre des objectifs très différents, comme une rupture de leur lien. Elle est persuadée que l'enfant la trahit, simplement en recherchant sa propre voie d'accomplissement personnel.

Il peut arriver que l'envie maternelle qui était en sommeil se réveille brusquement. Pendant les nombreuses années que j'ai passées à observer des jeunes à l'adolescence et à la transition vers l'âge adulte, j'ai remarqué qu'il arrive à leur mère d'être soudain gagnée par la peur de rester à la traîne par rapport aux compétences que son enfant est en train d'acquérir. « Va-t-il continuer à m'apprécier quand il aura trouvé sa voie ? » En général, le malaise qui accompagne les pertes inévitables liées à l'évolution et au changement est dissipé par l'appréciation de l'exaltation de l'enfant et de sa nouvelle individualité. Mais l'empressement que montre parfois un enfant à vivre des expériences différentes de celles préconisées par sa mère est intolérable. Aux prises avec la panique relationnelle, la mère cherche à punir l'enfant qui veut évoluer.

Quand l'enfant est confronté à ce revers soudain – une relation suffisamment bonne se transformant en relation toxique – il perçoit le conflit, mais il ne peut pas l'affronter directement puisque l'envie s'efforce toujours de se déguiser. Il intériorise un vague pressentiment que ce qu'il recherche va perdre tout sens, que ce qu'il apprécie va corrompre ce qu'il a. La motivation du jeune adulte, que sa mère peut avoir encouragé et soutenu pendant de nombreuses années, tombe en chute libre.

Matthieu est le premier membre de la famille à faire des études supérieures et il est soumis à la pression supplémentaire d'avoir été admis dans une université prestigieuse. Il se remémore cette époque, pas si éloignée :

Maman était ma plus grande fan, la personne qui ne cessait de me faire passer en premier. À la mort de mon père, une autre mère aurait pu me dire de devenir le soutien de la famille, mais au lieu de ça elle m'a encouragé à rester à l'école. Et pourtant maintenant on dirait qu'elle m'en veut d'avoir réussi. Tout ce que je dis l'insulte. Elle m'accuse de ne pas la respecter. Elle dit que je ne l'aime pas. Elle se demande si elle peut avoir une place dans son cœur pour un fils comme moi. Elle dit qu'elle ne me reconnaît plus. Mais je me suis contenté de faire ce qu'elle rêvait que je fasse un jour. J'ai essayé de lui faire honneur et d'honorer la mémoire de mon père. Maintenant, je me sens mieux lorsque j'échoue que lorsque je réussis. Il y a deux ans, j'avais une carrière toute tracée. Aujourd'hui, tout semble empoisonné et plus rien n'a de sens.

Matthieu est confronté au dilemme d'être fier de sa réussite mais de mettre en danger une relation cruciale d'une part, ou de préserver la relation tout en perdant de vue les objectifs à long terme de sa famille et des siens d'autre part. Cette tension peut constituer l'énigme de toute une vie : « Quelles pertes personnelles vais-je encourir si je réussis dans ma vie professionnelle ? »

L'envie est une distorsion bizarre de l'admiration ; au lieu de voir la réussite de l'enfant comme une source de fierté et de s'en réjouir, la mère envieuse a l'impression que le bonheur de son enfant lui retire quelque chose. Elle sent qu'elle ne peut pas s'associer à ce qui est bon chez son enfant et à ce qui lui fait plaisir, et donc elle souhaite (inconsciemment) détruire cela. Elle pense pouvoir uniquement avoir un lien confortable et sécurisant avec son enfant si l'estime de soi de ce dernier est inférieure à la sienne.

IL EST DIFFICILE DE PARTIR

Bizarrement, quitter une mère toxique est plus compliqué que quitter une mère qui offre réconfort, respect et soutien. Auprès d'une mère envieuse, vous vous sentez si mal que vous consacrez beaucoup d'énergie à essayer de vous racheter. Vous restez à la traîne, vous vous limitez et vous vivez dans l'aura de son insatisfaction parce que vous vous en voulez de lui infliger des sentiments désagréables.

La mère envieuse dispose d'un arsenal complet pour instiller un sentiment de culpabilité. Parmi ses armes, il y a :

L'accusation. « Tu as une trop haute estime de toi » ou « Tu te vantes » peut transformer en défaut la fierté normale de l'enfant envers sa réussite.

Le dénigrement. On rappelle à l'enfant qu'« il y a beaucoup de gens bien meilleurs que toi ». Un frère ou une sœur, un ami ou un proche disparu depuis longtemps, peuvent être érigés en modèles auxquels l'enfant ne pourra jamais arriver à la cheville.

La dette. Cela inclut les rappels du sacrifice des autres pour la réussite de l'enfant : « Ne crois pas que tu es arrivé là tout seul » et « Beaucoup de gens ont renoncé à certaines choses pour toi ».

La froideur et l'insatisfaction. Lorsqu'un parent est réservé ou malheureux quand son enfant réussit, il n'est pas nécessaire d'employer des mots pour instiller de l'anxiété à propos du revers de la médaille des choses autrefois considérées comme bonnes.

L'oiseau de mauvais augure. « Tu vas te ramasser », « Tu sais ce qu'il arrive à ceux qui volent trop près du soleil ? », « De grands espoirs mènent à de grandes déceptions » renforcent le message général selon lequel le bonheur et l'optimisme sont dangereux.

Les urgences médicales. Quand les messages subtils dans le sens de « C'est mauvais d'être bon » sont inefficaces, la mère envieuse peut recourir à l'urgence médicale. Le message sous-jacent est : « Ton bonheur ou ta réussite me tue. »

Tous les thérapeutes expérimentés que je connais ont une anecdote à raconter sur une mère qui a fait une tentative de suicide en réaction à la décision de son fils ou de sa fille de voler de ses propres ailes. Un collègue m'a parlé d'un homme qui a quitté la maison à l'âge de 59 ans, mais uniquement après le décès pour causes naturelles de sa mère « suicidaire ». À chaque fois qu'il décidait de partir, elle tentait de mettre fin à ces jours et il était rongé par la culpabilité.

Quand nous nous sentons coupables d'être différents ou singuliers, cela peut nous rendre soupçonneux envers notre moi-central – le moi qui enregistre nos sentiments au jour le jour et nos réactions individuelles. Toutes nos expériences personnelles, uniques, sont suspectes : « Ma réussite va-t-elle me faire du tort ? », nous demandons-nous au moment d'atteindre notre objectif. « En ai-je le droit ? », nous interrogeons-nous quand nous songeons à nous inscrire à l'université, à postuler pour un emploi, à partir en voyage. L'envie maternelle transforme ce qui paraît bien en quelque chose de nuisible. Cela déclenche un système d'alarme dans lequel nos désirs et ce que le bon sens déclare désirable – le plaisir, l'enthousiasme, l'intérêt, l'ambition – ont une apparence dangereuse et dommageable.

ENVIE MATERNELLE : UNE QUESTION DE CULTURE

Dans le conte de fées « Blanche-Neige », une (belle-)mère (la reine) se regarde dans son miroir et lui demande : « Qui est la plus belle d'entre toutes ? » Pendant longtemps, le miroir rassure la reine en lui confirmant qu'elle est « la plus belle du royaume ». Mais un jour, alors que la reine vieillit et que Blanche-Neige s'épanouit, le miroir déclare : « Madame la reine, vous êtes belle, mais Blanche-Neige est encore mille fois plus belle. » Entendant cela, la reine pâlit de colère et d'envie et ordonne à son serviteur de tuer Blanche-Neige.

Des psychologues voient la réaction de la reine envieuse comme emblématique des réactions inconscientes des mères envers leurs filles. Dans son livre très influent, *La Psychologie des femmes*, la psychanalyste d'avant-garde Helen Deutsch démontre qu'une mère envie ordinairement sa fille adolescente. Deutsch pense que les manifestations de protection et de tendresse de la mère cachent en fait de l'envie, parce que l'épanouissement de la jeune fille marque le déclin de sa mère au passage vers l'âge mûr. Les générations suivantes d'écrivains, dans les années 1970 et 1980, partagent la croyance selon laquelle l'envie maternelle est normale et ils la ramènent au changement de générations : une fille a aujourd'hui beaucoup plus de chances que sa mère avant elle. Si auparavant la mère se sentait socialement marginalisée et personnellement frustrée, elle pensait peut-être trouver une alliée auprès de sa fille. Mais une fille qui cherche sa voie dans un nouveau monde plein de promesses laisse non seulement sa mère derrière elle, mais elle peut aussi la repousser et la dédaigner.

Cependant, mes recherches ont montré que, même si certaines mères éprouvent effectivement de l'envie, celles-ci sont plutôt rares. J'ai observé des mères et des filles dans différents contextes pendant plus de vingt ans et j'en ai conclu qu'il y a beaucoup plus de chances que les mères se réjouissent de la beauté de leur fille, des opportunités qui s'offrent à elle et de ses réussites, plutôt qu'elles n'éprouvent de l'envie. Une mère peut être ambivalente concernant la l'apparence physique de sa fille pour diverses raisons : elle voit que sa fille attire les hommes et elle a peur qu'ils ne voient que sa beauté et pas sa personne. Une mère peut être ambivalente concernant le dynamisme et l'intelligence de sa fille parce qu'elle voit que la vie de sa fille risque d'être compliquée, sachant à quel point il est épuisant et frustrant de trouver l'équilibre entre des besoins et des capacités pas toujours compatibles. Mais ces préoccupations sont très différentes de l'envie.

Dans une culture dans laquelle les femmes sont essentiellement appréciées pour leur jeunesse et leur beauté, une femme approchant de l'âge mûr peut éprouver des doutes concernant son statut social lorsqu'elle compare son apparence à celle de sa fille. Dans une culture où une génération de femmes n'a pas eu la possibilité de découvrir l'étendue de ses besoins – le besoin de relever des défis et de résoudre des problèmes, de développer et de tester diverses aptitudes, d'interagir positivement dans un vaste environnement social –, une mère peut s'extasier en se demandant comment elle a pu passer à côté tout cela. Mais il y a une grande différence entre des pointes de regret – ou le deuil que l'on fait en privé sur les opportunités inexploitées ou, plus tristement, inaccessibles – et l'envie.

Quand l'envie envahit la relation mère-enfant, les effets sont très différents des disputes saines à propos des meilleurs choix de vie. Le grand poète médiéval Chaucer compare l'envie à une terrible maladie contagieuse. « Certes, écrit-il dans "Le Conte du curé", Envie est le pire des péchés, car, tandis que tous les autres péchés combattent une vertu particulière, Envie les combat toutes. » En enviant la beauté de son enfant, ses opportunités, son talent ou son individualité, un parent peut en arriver à envier tout ce qu'a l'enfant et tout ce qu'il est. L'envie se répand là où il y a des déceptions ou des privations systématiques, mais elle se répand pour inclure tous les bons côtés de la personne enviée. Un enfant qui est confronté à l'envie maternelle a du mal à trouver un endroit agréable ou sûr dans la relation.

ÉVALUER LES EFFETS D'UN PARENT ENVIEUX

Un audit personnel permet d'évaluer les stratégies à élaborer pour gérer le dilemme toxique de la mère envieuse. Certaines de ces stratégies peuvent se transformer en compétences :

- Vous savez charmer les gens pour qu'ils sachent apprécier vos qualités. En d'autres termes, vous contrez l'envie par votre charisme. Vous pouvez aussi montrer de l'empathie envers les autres et les rassurer sur leur propre importance.

- Vous avez la double compétence de savoir reconnaître l'envie et de savoir l'ignorer. Bref, vous savez ce que cachent les critiques ou la dérision, et vous refusez de vous laisser intimider par l'envie. Vous avez appris que le ressentiment d'autrui envers votre réussite n'a pas d'impact sur l'issue de vos efforts.

- Vous avez appris à vous faire le champion des capacités de l'autre. Tirez-vous votre réussite du soutien que vous apportez à la réussite d'autrui ? Êtes-vous agent, enseignant ou coach ? Vous avez choisi ces métiers pour plusieurs raisons, mais l'une d'elles est peut-être que vous savez comment exercer vos talents et compétences en évitant les feux de la rampe.

- Vous êtes un surdoué compulsif qui cherche sans jamais trouver la réussite qui satisfera votre mère envieuse.

Il est aussi utile de réfléchir à la façon dont vos stratégies d'adaptation vous ont freiné. Une mère envieuse peut vous avoir rendu méfiant envers votre propre plaisir, vos désirs et objectifs. La conséquence la plus fréquente de l'envie maternelle est une peur lancinante de la réussite. Dans certains cas, la peur de la réussite mène au défaitisme. Après tout, l'échec ne suscite pas l'envie.

- Trouvez-vous parfois que vous êtes en bonne voie pour réussir quand soudain tous vos rêves s'effondrent ?

- Vous arrive-t-il de rater vos entretiens d'embauche, de ne pas réussir à terminer un travail important ou d'offenser une personne dont l'amitié vous serait pourtant d'un grand soutien ?

- Cachez-vous toujours vos talents ?

- Vous habillez-vous de façon à cacher vos formes ?

- Faites-vous en sorte d'éviter des situations de concurrence ?

- Retirez-vous votre candidature si vous découvrez qu'un ami ou un proche convoite le même poste ?

Même si ces habitudes peuvent vous protéger de l'envie, elles peuvent aussi vous empêcher de réussir autant que vos aptitudes vous le permettent. Vous pourriez essayer de surmonter votre peur de la réussite en vous affirmant ou en allant de l'avant, même si vous avez naturellement tendance à vous mettre en retrait. Vous apprendrez que personne ne vous punira d'avoir essayé ou de réussir. Et même si cela devait arriver, vous n'aurez pas vraiment mal.

Même si vous atteignez vos objectifs ou développez vos capacités, vous pourriez constater une anxiété persistante qui fait disparaître tout plaisir.

- Vous attendez-vous à ce que l'on se moque de vous ou à ce que l'on ait honte de vous lorsque vous avez atteint un objectif ou reçu une distinction ?

- Vous attendez-vous à ce que votre réussite suscite de l'hostilité chez les autres ?

- Niez-vous la fierté que vous ressentez face à votre réussite devant vos amis ou votre famille ?

- Est-ce que vous êtes d'humeur sombre quand vous réussissez ?

Même si vous êtes capable d'atteindre vos objectifs (avec une grande modestie), ces habitudes signifient probablement que cela ne vous réjouit pas et c'est dommage. Ou bien vous ne pouvez pas vous réjouir de vos prouesses parce que vous êtes motivé par le désir de faire plaisir à quelqu'un qui ne sera jamais content de vous. Quand vous réalisez que vous ne recevrez jamais son approbation, vous perdez tout espoir et vous risquez la dépression. Vous devez garder deux choses à l'esprit : *primo*, une mère envieuse n'est jamais satisfaite et vous ne pouvez rien y changer ; *secundo*, des preuves scientifiques démontrent que chercher l'approbation d'autrui rend plus malheureux que de poursuivre ses propres désirs.

La troisième partie de l'audit concerne la suite de votre relation avec le parent. Son envie continue-t-elle à vous poser problème dans votre vie adulte ?

- Si vous devez toujours gérer l'envie maternelle, si vous êtes toujours confronté à ce dilemme toxique, demandez-vous si vous n'avez pas la force de la défier, de lui faire part de votre point de vue ou de l'ignorer.

- Essayez la méthode « un pas à la fois » en vérifiant si vous disposez de nouveaux moyens de résistance à son envie. Votre mère a peut-être changé, elle a pu devenir plus forte et plus tolérante. La pouvoir que vous pensiez avoir de l'offenser avec votre réussite a pu diminuer.

- Voyez si vous pouvez garder votre calme et la rassurer en lui prouvant que votre réussite ne la diminue pas ; au contraire, elle lui fait honneur.

Demandez-vous aussi si le problème est toujours à l'ordre du jour ou si ce n'est pas l'enfant qui est en vous qui se sent menacé.

À tout moment, nous réagissons face à notre mère en faisant appel à deux formes de mémoire : la mémoire explicite et la mémoire implicite. La mémoire explicite inclut la mémoire sensorielle, sémantique, épisodique, narrative et autobiographique. Les souvenirs explicites peuvent être décrits. Ils sont conscients et accessibles. La mémoire implicite comprend la mémoire sensorielle, émotionnelle et procédurale, ainsi que le conditionnement stimuli-réaction. Les souvenirs implicites ne sont pas conscients, mais ils forgent nos réactions émotionnelles. Quand la mémoire implicite est activée par ce qui se passe dans le présent, nous relions son impact émotionnel à un événement qui a eu lieu dans le passé. Les mots et les gestes qui pourraient être neutres sont perçus comme menaçants parce que nous les imprégnons de souvenirs douloureux. Comme ces souvenirs sont implicites, nous ne sommes pas conscients de percevoir le présent à la lumière du passé.

Un bon exercice consiste à réfléchir à la raison de la persistance de ce dilemme relationnel. Avez-vous toujours affaire à des attentes basées sur la mémoire implicite ?

- Quand vous sentez la peur ou la colère monter en vous, arrêtez-vous et concentrez-vous sur des mots et des comportements du présent.

- Tentez de les garder à l'esprit, voire de les écrire.

- Essayez d'identifier la menace qu'ils représentent.

- Demandez-vous si vous êtes bien aussi vulnérable que vous le croyez.

- Efforcez-vous de noter des événements passés qui ont fait surgir des sentiments similaires.

- Demandez-vous si les événements passés ressemblent vraiment à ceux de votre vie actuelle.

Peu à peu, vous entreverrez les souvenirs implicites qui rendent le présent inutilement aussi toxique que le passé. Avoir la force d'examiner vos peurs – leur origine et leur pertinence actuelle – peut vous aider à réévaluer la crainte que votre réussite et votre bonheur ne mettent en danger les personnes que vous aimez.

7

LA MÈRE ABSENTE

« Mon enfant a-t-il besoin de beaucoup d'attention ? », « S'épanouira-t-il si je fais autre chose, même s'il est encore tout petit ? », « Mon enfant sera-t-il lésé si d'autres personnes s'en occupent ? » Ces questions familières découlent de l'anxiété d'être une « bonne mère », anxiété qui enserre les mères dans une tenaille qui n'a cessé de se refermer ces soixante-quinze dernières années. Être un parent fiable, aimant – un parent qui offre le gîte, le couvert, la discipline et une orientation de vie – n'est plus considéré comme suffisant. Aujourd'hui, le parent a pour rôle d'optimiser les moindres aspects du potentiel infantile. Notre anxiété à propos de la qualité des soins maternels envahit notre culture, alimentée par des idéaux impossibles et des attentes irréalistes.

Un sujet de préoccupation très répandu est de savoir si l'enfant a besoin d'une mère à temps plein. Ce souci a surgi parallèlement à une hausse de l'engagement des femmes sur le lieu de travail.

Il est aussi né de multiples interprétations erronées de découvertes en psychologie.

Au milieu du siècle dernier, des psychologues ont créé l'expression « anxiété de séparation » qui décrit une phase normale du développement déclenchée par la prise de conscience par l'enfant de la présence et de l'absence de sa mère. À l'âge de 9 mois environ, l'enfant fait facilement la différence entre sa mère et les autres. Mais il n'a pas encore la sophistication conceptuelle nécessaire pour réaliser que sa mère a une existence distincte de la sienne. Quand il ne voit pas sa mère, qu'il ne l'entend pas, ne la sent pas, il croit qu'elle a « disparu », qu'elle cesse tout bonnement d'exister. Tant qu'il n'a pas construit cet échafaudage conceptuel dans lequel une personne et une relation existent toujours même lorsqu'ils sont éloignés, l'enfant est envahi par la terreur au moment où sa mère le pose, lui dit au revoir et disparaît hors de sa vue.

L'anxiété de séparation était initialement considérée comme une phase normale qui passerait quand le concept de personne deviendrait plus sophistiqué. Quand l'existence de cette phase a été constatée pour la première fois, rien ne suggérait que la séparation de la mère était nuisible pour l'enfant. Des études ultérieures ont démontré qu'une séparation prolongée provoque un recalibrage perturbant de la capacité de l'enfant à se connecter à autrui. Quand les tout-petits sont séparés de leur mère, dans la première année de leur vie, ils pleurent, ne dorment pas, ne mangent pas, deviennent apathiques et abattus.

Les enfants un peu plus grands montrent aussi une nette anxiété. Au début, le petit enfant proteste face à la séparation. Agité et en larmes, il semble chercher sa mère, dans l'espoir que la séparation cesse. Plus tard, la protestation est remplacée par le désespoir. L'enfant reste préoccupé par sa mère et il la cherche, mais il est davantage agité et plaintif que vif et plein d'espoir. Finalement, le désespoir cède le pas au détachement. L'enfant semble perdre espoir et il s'adapte à l'absence maternelle en réprimant toute émotion. Il y a une sorte de paix effrayante chez l'enfant qui ne pense plus retrouver sa mère. Une fois adoptée, cette apathie défensive disparaît difficilement. Même lorsque sa mère revient, l'enfant reste sans réaction, indifférent, comme s'il avait perdu la capacité d'attachement.

Les enfants qui ont été observés dans ces étapes de protestation, de désespoir et de détachement, étaient des orphelins placés dans des institutions ou des enfants hospitalisés et privés de tout contact avec un parent. Pourtant, certains psychologues ont interprété ces observations comme des preuves que le jeune enfant a besoin de sa mère tous les jours, à toute heure de la journée. Ils avertissent que, sans la présence permanente de sa mère, l'enfant proteste contre la séparation, puis devient désespéré, et finalement, devenu apathique et léthargique, il se détache de ce lien. Même s'il a été prouvé à maintes reprises que cette extrapolation était sans fondement, la question de savoir si une mère consacre assez de temps et d'attention à son enfant continue cependant à semer la terreur au sein de la famille.

Nous avons vu que, depuis sa naissance, l'enfant sait se connecter à sa mère, mais qu'il est aussi capable de se connecter à d'autres personnes. La force qui nous incite à nous connecter à autrui, à connaître et à être connu d'autres personnes, apparaît chez le nourrisson au bout de quelques jours seulement, quand il scrute les visages et établit un contact visuel. Ce comportement séducteur attire l'attention d'autres personnes, y compris hors du cercle familial. Les enfants apprennent à préférer la personne qui est la plus étroitement liée à eux et qui est à l'unisson avec eux. Ils jouent eux-mêmes un rôle dans la conspiration visant à faire douter les mères de consacrer assez de temps et d'attention à leur progéniture. Les enfants ont envie de garder leur mère auprès d'eux. Pourtant, ils sont conçus pour se développer dans la vraie vie et, dans la vraie vie, la mère est une personne ayant des intérêts, des besoins et des responsabilités variés.

Les enfants ont évolué pour se développer auprès de parents humains ordinaires. Études après études, les recherches montrent que les enfants sont des êtres robustes qui peuvent s'accommoder des besoins humains de leur parent, à avoir des intérêts et activités diverses, ainsi que des excentricités et limites individuelles. Néanmoins, des évaluations extrêmes du besoin d'un enfant pour sa mère continuent à hanter de nombreuses familles.

D'ailleurs, d'après l'anthropologue Sarah Blaffer Hrdy, les enfants ont évolué pour pouvoir être pris en charge par des « alloparents ».

Ils sont programmés pour tolérer que différentes personnes s'occupent d'eux, et pas uniquement leurs parents biologiques. Pour s'occuper de leurs enfants à la croissance lente et énergivore, les premiers hommes auraient fait appel à un réseau de figures maternelles, et pas uniquement à la pourvoyeuse de soins parfois isolée qu'est la mère d'aujourd'hui. L'empathie rudimentaire mais bien réglée des bébés, leur capacité à décrypter les intentions d'autrui, leur désir de se connecter aux autres, l'attention qu'ils accordent aux réactions et émotions d'autrui, les incitent à se laisser soigner par différentes personnes – et d'ailleurs par tous ceux qui entrent en contact avec eux[1].

Le mythe culturel anxiogène et culpabilisant selon lequel la mère doit être constamment disponible pour son enfant estompe la distinction entre la distraction normale et les interruptions normales de l'attention, d'une part, et une terrible absence émotionnelle, d'autre part. C'est le dernier cas – celui de l'absence émotionnelle perturbante – que j'étudie dans ce chapitre.

« ÊTRE LÀ » ET « ÊTRE MORT »

L'intensité des interactions mère-enfant est généralement si heureuse et merveilleuse pour l'enfant qu'il est probable qu'il proteste contre toute interruption. Mais, très vite, il apprend

1. Chez les autistes, on note l'absence de ces qualités humaines centrales : l'empathie, la coopération et la capacité à lire dans les pensées.

que les relations continuent malgré des intervalles entre les contacts face à face. Il se fait une idée générale, flexible, de la personne avec laquelle il entretient une relation ; la mère est « là » pour lui, même quand ils sont séparés. « Être là » pour l'enfant ne signifie pas être constamment en sa présence. « Être là » suggère un afflux d'accès et d'intérêt ; cela suggère une possibilité d'attention et de soutien. Ne pas « être là » pour l'enfant n'est pas synonyme d'absence physique, mais d'absence émotionnelle. Plus glacial que la froideur, plus éprouvant nerveusement que la colère, l'absence émotionnelle prive l'enfant d'une conscience de soi élémentaire. Il n'y a pas de résonance, pas de réceptivité, pas de réciprocité. L'absence émotionnelle produit une impression fantomatique d'« être là » et d'« être mort ». Les causes les plus fréquentes de l'absence émotionnelle de la mère sont la toxicomanie et la dépression.

Jane, 17 ans, se souvient parfaitement de sa première confrontation à l'absence émotionnelle de sa mère. À l'âge de 5 ans environ, elle essayait de grimper sur une chaise pour attraper sa boîte à déjeuner. Elle a demandé à sa mère de l'aider en tirant sur sa manche, mais cette dernière « avait le regard fixe, les yeux dans le vague, inexpressifs ». Même s'il lui arrive de « pleurer et de jeter des choses », elle est plus souvent « très calme, comme absente, à la manière d'une enveloppe corporelle qui occuperait de l'espace dans la maison ». Ce calme inquiétant effraye encore Jane qui dit essayer de « se transformer en pierre pour ne plus rien sentir ».

La mère de Jane, Carole, admet être alcoolique et dépendante aux analgésiques. « Depuis longtemps, je ne sais plus exactement depuis quand, peut-être quand Jane était grande comme ça » – elle montre la taille d'un enfant de cinq ans –, « j'aime trouver cet endroit silencieux à l'intérieur de moi, où je ne ressens pas grand-chose. J'ai besoin de ce soulagement. Je ne suis pas droguée. Ne croyez pas que je me drogue. C'est simplement un endroit silencieux. » Dans cet « endroit silencieux », le monde se rétracte. Les pensées sont anodines, à moitié formées et elles n'ont pas de saveur. Enfant, Jane assistait désemparée au drame intérieur auquel sa mère était livrée et qu'elle ne pouvait ni voir ni comprendre. Sa mère était présente physiquement, mais émotionnellement absente.

David a 37 ans et porte encore en lui l'expérience vécue dans son enfance d'une mère émotionnellement absente.

> *Ma mère pouvait être assise à côté de moi et se retrouver soudain très loin. Pas comme si elle pensait à autre chose puis revenait brusquement à elle, mais comme si elle était enterrée quelque part et que je ne pouvais pas la rejoindre. Elle me regardait de ses yeux vides... Ça me fait encore peur aujourd'hui ; ça me fait penser aux voleurs d'âme. J'avais pris l'habitude de me balancer sur ma chaise en fredonnant, et on me disait d'arrêter, mais Maman ne le remarquait pas et j'essayais simplement de passer le temps jusqu'à ce qu'elle revienne.*

De sa grand-mère et « du peu de pièces que j'arrive à assembler parmi de nombreux souvenirs épars », David a appris que sa mère était dépressive depuis sa naissance. « J'ai grandi avec et j'y étais habitué, mais ça ne m'a jamais paru normal. Ça me fait toujours mal, parce que j'aimerais – vous savez – la ramener à la vie. »

L'absence émotionnelle présente un paradoxe à l'enfant : « J'aime mon parent et j'ai besoin d'être proche de lui, mais je n'obtiens aucune réaction. Sa vie intérieure m'est inaccessible ou elle est sombre et déformée. Je peux être physiquement proche d'elle, mais pas vraiment proche. »

Dans ce chapitre, nous allons passer en revue différentes façons dont des enfants se sont adaptés à ce paradoxe : comment puis-je me connecter à un parent qui est distant émotionnellement parlant ? Comment puis-je savoir s'il est « là » ou « pas là » ? Comment puis-je me protéger (et peut-être aussi protéger mes frères et sœurs ou mon père) de l'impact de cette étrange absence ? L'enfant peut aussi en arriver à se demander : « Puis-je sauver ma mère ? Puis-je la ramener à la vie ? »

DÉPRESSION

La cause la plus fréquente de l'indisponibilité émotionnelle provient d'un accès d'humeur noire qui aspire les sentiments habituels de plaisir, de curiosité et de réceptivité, et qui laisse absent, vide, mort – mais avec juste assez de conscience pour supporter une sensation de perte. Cette condition – la dépression – est différente de la tristesse. Elle est différente de l'anxiété, de la frustration ou de la colère. Ces sentiments se concentrent sur un problème spécifique. Nous sommes malheureux à cause du comportement de notre chef ou d'une incapacité à décrocher une promotion. Nous sommes malheureux à cause des pressions que nous subissons ou que d'autres membres de la famille subissent. Nous sommes malheureux à cause des résultats scolaires de notre enfant. Nous sommes anxieux à propos de l'aboutissement d'une candidature. Nous sommes frustrés par notre travail qui ne nous permet pas d'atteindre nos objectifs. Dans notre quotidien, nous sommes confrontés à des problèmes qui ne nous rendent pas heureux, mais nous les gérons parce qu'ils font partie de la vie. Un mécontentement épisodique et ciblé est très différent de la dépression.

Il arrive qu'un problème particulier soit si profondément ancré qu'il nous laisse un sentiment d'insatisfaction généralisé. Nous pouvons être plus généralement insatisfaits de notre mariage qui donne lieu à des récriminations et à des disputes. Nous pouvons constater que le stress au travail nous rend soucieux, irritables, incapables de nous détendre et d'apprécier quoi que ce soit. Nous pouvons être si inquiets de notre situation financière que nous avons du mal à interagir avec autrui. Pourtant, cette insatisfaction généralisée est différente de la dépression.

La définition qui saisit le mieux la signification de la dépression est le deuil de la perte de soi[1]. La dépression est une sorte de mort psychique ; elle enterre la curiosité, les sentiments, la connexion. Bien que le terme « dépression » soit parfois employé comme synonyme de tristesse, il est plus proche de la mort de toute sensation. Carole a beau crier, hurler et pleurer, elle a beau lancer des objets et frapper des gens, c'est davantage dans une agonie de vacuité que par excès de sensations. Elle est le plus souvent léthargique, passive, et ne voit pas l'intérêt de faire quoi que ce soit, ne serait-ce que sortir de son lit, s'habiller ou manger.

Quand vous êtes triste, vous pouvez imaginer des circonstances qui pourraient vous rendre de meilleure humeur, mais quand vous êtes déprimé le monde entier paraît si aride et sinistre que vous ne pouvez pas vous imaginer en quoi il pourrait être amélioré. Le point central de la dépression est la conviction que votre moi profond est sans valeur, sans signification, sans but, sans véritable vie ; par conséquent, changer le monde qui vous entoure ne vous rendra pas meilleur.

Quand une personne déprimée regarde autour d'elle, elle voit le froid qu'elle jette sur la vie des autres, mais elle n'a pas l'impression d'avoir quoi que ce soit à leur offrir. Quels avantages auraient-ils, se demande-t-elle, à s'intéresser à quelqu'un d'aussi inutile et déficiente qu'elle ? Quels avantages tireraient-ils de son sourire, de son attention, de son amour ? Étant inutile pour elle-même, elle suppose être inutile aux autres. À quoi bon soutenir le regard

1. Freud, *Deuil et mélancolie*, Payot, 2011.

de son enfant ? À quoi bon sourire ? Pourquoi un enfant s'intéresserait-il à ses pensées ou sentiments ? En deuil pour un moi perdu et prisonnier des abîmes de l'angoisse de soi elle remarque à peine les réactions de son bébé. Elle ne voit pas qu'il exprime du plaisir à son contact, sa voix, son visage. Elle réagit lentement aux signaux indiquant qu'il a besoin de son attention, qu'il veut entendre sa voix et être tenu dans ses bras. Elle reste réservée et prudente, incapable de voir que, quoi qu'elle fasse, cela a un effet positif. Les tentatives des autres pour éveiller son intérêt sont pénibles ou déconcertantes, l'hypothèse sous-jacente étant « Je n'ai rien à te donner parce que je ne suis rien ».

Certaines personnes se battent avec la dépression toute leur vie. D'autres souffrent de dépression pendant un certain temps, puis elles se rétablissent complètement. Juste après la naissance de son enfant, la mère traverse une période de prédisposition particulière à la dépression ; c'est précisément à cette période de la vie que l'absence émotionnelle est la plus préjudiciable pour l'enfant.

LA DÉPRESSION POST-PARTUM ET SON IMPACT SUR L'ENFANT

Une femme peut être heureuse de devenir mère, mais souffrir de dépression post-partum. Elle peut trouver son bébé merveilleux et magnifique, mais croire néanmoins qu'un mur infranchissable se dresse entre elle et son enfant. Elle peut accorder beaucoup d'importance au bien-être et à la sécurité de son enfant, mais avoir l'impression d'être un robot quand elle s'occupe de lui.

Les femmes qui souffrent de dépression post-partum disent être piégées par des demandes innombrables qui sont à la fois nécessaires et superflues. Beaucoup parlent de cacher leurs sentiments et de camoufler leur vrai moi. Elles disent « porter un masque », « faire bonne figure ». Elles « jouent un rôle », alors qu'à l'intérieur elles se sentent « mortes ». Ou bien, elles donnent l'impression de faire face, mais elles se sentent prises dans un tourbillon d'émotions violentes et de pensées confuses. Elles décrivent deux faces de la maternité : la face publique heureuse et la souffrance privée, très différente.

Ces sentiments paradoxaux ne sont pas réservés aux mères qui sont cliniquement dépressives. De nombreuses mères connaîtraient ce double aspect de la maternité : « Je ne contrôle plus rien » et « Je ne sais plus qui je suis » décrivent l'expérience de nombreuses femmes. Les nouvelles contraintes qui pèsent sur leur liberté, les nuits sans sommeil et les nouvelles habitudes entraînent des changements mouvementés qui sont difficiles à assimiler pour toutes les nouvelles mères. Mais ce n'est que dans 10 % des cas que ces perturbations entravent les interactions de la mère et de l'enfant qui se fondent à la fois sur le plaisir et sur la joie.

« Tu as faim, mon bébé ? », « Qu'est-ce que tu regardes ? C'est ça ? C'est intéressant ? », « Qu'est-ce qu'il y a ? Pourquoi pleures-tu ? Tu es fatigué ? » sont quelques requêtes anodines qui stimulent la conscience d'autrui chez l'enfant et sa capacité d'introspection. L'enfant dont la mère est déprimée n'entend pas ce ronronnement routinier de connexion et d'engagement. Les commentaires incessants qui aident l'enfant à se diriger à travers les nombreuses expériences, parfois vagues, de son nouvel environnement s'enrayent[1].

La mère absente perd sa réactivité immédiate aux signaux émis par son bébé. Le tremblement de peur, le frisson d'intérêt ou de joie, le regard interrogatif, la main tendue pour toucher ou être porté sont ignorés. L'enfant ne tarde pas à remarquer qu'il ne parvient pas à communiquer ses états intérieurs. Quand ses signaux sont ignorés, ils s'atrophient rapidement. Il ne se donne plus la peine de s'exprimer ; il arrête d'essayer d'intéresser l'autre. Des recherches importantes montrent la descente rapide des enfants dans le désespoir quand le visage de leur mère devient figé, immobile ou sans réaction. Les bébés de mères dépressives voient un visage impavide, qui ne montre pas le moindre signe d'intérêt ou de plaisir, et l'expression du visage du bébé en arrive à refléter celle de sa mère absente.

---

1. Il semblerait que les femmes qui deviennent mères aujourd'hui ont trois fois plus de chances de souffrir de dépression post-partum que leur mère. Il y a trente ans, 8 % des mères souffraient de cette maladie, qui touche aujourd'hui 27 % d'entre elles. 25 % des jeunes accouchées font état de symptômes qui indiquent une dépression post-partum. Au moment où l'enfant a le plus besoin de l'expressivité et de la résonance de sa mère, le niveau d'énergie émotionnelle de cette dernière est au plus bas.

Quand il a une mère absente, le bébé montre moins de nuances d'émotions, allant du plaisir à l'intérêt, en passant par la curiosité et le bonheur, que l'on reconnaît si facilement chez l'enfant heureux. Quand il a une mère absente, ses expressions de tristesse, de colère et de déplaisir sont plus fréquentes. Il ne réagit pas non plus quand un parent le prend dans les bras ou lui parle. Le regard intense que l'enfant fixe habituellement sur sa mère est absent. Il y a peu de profondeur ou de variété dans ses interactions avec autrui.

Même quand sa mère se rétablit, les effets de sa dépression post-partum persistent sur l'enfant. À 3 ans, les enfants de mères dépressives sont limités dans leur capacité à utiliser le langage expressif. À 5 ans, les enfants de mères ayant souffert de dépression post-partum sont beaucoup plus susceptibles de se comporter d'une façon que l'enseignant qualifiera de perturbée. Ils n'ont pas la capacité qu'à d'habitude un enfant à encourager les autres à interagir avec lui. Par conséquent, ils auront moins de relations enrichissantes et satisfaisantes avec autrui.

L'absence émotionnelle prolongée de la mère affecte la composition physique et chimique du cerveau infantile. Le partage affectif – les échanges émotionnels entre la mère et le bébé – stimule le développement cérébral et génère les circuits neuronaux cruciaux qui nous aident à gérer nos émotions, à organiser nos pensées et à planifier notre vie. Des échanges émotionnels positifs stimulent le développement des récepteurs du cortisol qui absorbent et stockent les hormones de stress. Le partage affectif est un exercice cérébral essentiel ; il aide le cerveau à se développer pour rebondir face à la déception ou à l'échec. Notre capacité à comprendre et à résoudre les problèmes qui surgissent dans nos environnements sociaux naît de la gaîté des relations entre la mère et son bébé et leur joie mutuelle. La mère absente peut prodiguer les soins élémentaires, mais ses réactions sont lentes et maladroites ; elle offre moins d'interactions physiques, moins de contacts peau contre peau, très peu de gaîté et encore moins de plaisir.

À n'importe quelle phase de la vie de l'enfant, la dépression maternelle porte un coup fatal à cette relation essentielle. Le dilemme qui en résulte peut s'articuler ainsi :

- Comment puis-je m'adapter à une mère peu réceptive de façon à conserver une « bonne » relation avec elle ?
- Si je ne m'adapte pas à elle, comment vais-je gérer la colère, l'indignation et l'impression de trahison ?
- Ou bien, est-ce que je m'adapte en espérant que cela l'aidera à se sentir mieux et donc à établir la relation que j'attends ?

IMITER UNE MÈRE ABSENTE

Adam, 15 ans, a une double vie. À l'école, ses camarades l'appellent « le zombie ». Ses enseignants le croient alternativement « drogué » ou « stupide ». L'un d'eux a insisté pour qu'il passe un test de dépistage de drogue. Le résultat était négatif, mais les doutes n'ont pas été levés pour autant. Ensuite, il a passé des tests pour savoir s'il avait le syndrome d'Asperger. Même s'il n'utilise pas le langage corporel lorsqu'il interagit avec les autres et semble incapable de se lier à ses camarades de classe, même s'il montre peu de signes d'enjouement émotionnel ou social, ou d'expressions émotionnelles spontanées, aucun désordre n'a été diagnostiqué.

À la maison, il est sérieux, calme et appliqué dans un effort pour contenir l'effet de la dépression de sa mère sur elle-même, sur sa sœur et sur lui.

Un jour, en rentrant de l'école, quand Adam avait 11 ans, il a découvert sa mère, Josée, inconsciente – suite à ce que Josée nomme amèrement une « sous-dose ». Cela a eu pour effet de mettre Adam constamment sur ses gardes. Tous les jours, quand il part pour l'école, il rappelle à Josée l'heure exacte à laquelle il sera de retour. Il veut s'assurer que, même si elle se sent très déprimée, elle se concentrera sur l'heure à laquelle son isolement prendra fin.

Les enfants ayant des mères dépressives s'attribuent souvent un rôle de réconfort et de protection. Adam est le compagnon émotionnel de sa mère et il partage son vide émotionnel. Comme elle ne peut pas le refléter, c'est lui qui la reflète. Sa palette émotionnelle est sa norme. En général, le parent est le « conteneur » : celui qui, à la fois littéralement et métaphoriquement, préserve une autre personne, gardant intact l'image qu'elle a d'elle-même, même s'il est submergé par l'anxiété, la peur ou la tristesse. Comme sa mère est incapable de contenir ses émotions à lui, Adam utilise ses ressources mentales et émotionnelles pour contenir celles de sa mère. Il essaye d'absorber et de gérer les sentiments maternels négatifs afin qu'ils soient tous les deux en sécurité.

COMPARTIMENTER LA DÉPRESSION

La dépression maternelle engendre souvent un sentiment de culpabilité chez l'enfant. Cette culpabilité peut s'exprimer de diverses façons. Adam aurait l'impression de trahir sa mère s'il était heureux. De son point de vue, ce serait mal d'exprimer une palette d'émotions différentes de celles que sa mère est capable de ressentir. Alexandra, qui a elle aussi 15 ans, pense au contraire qu'être triste augmenterait les « soucis » de sa mère. Elle a sa « tête pour la maison », qui « convient à toute la famille », mais elle fait une tout autre tête à l'extérieur.

Alexandra compartimente ou sépare sa vie à la maison – où elle met ses sentiments de côté – et sa vie à l'école, avec ses cours et ses amies sympas, ses hauts et ses bas, ses difficultés et ses soucis. Elle a réprimé la pulsion naturelle de l'adolescent pour la confrontation et la défiance envers le parent. À 10 ans, elle cherchait à attirer l'attention de sa mère, Eva. Même quand cette dernière était assise, raide, le regard vide, Alexandra insistait : « Regarde, Maman », « Je peux en avoir ? », « Tu penses que c'est bien ? », « Je peux regarder la télé ? », « Tu regardes avec moi ? ». Cinq ans plus tard, Alexandra a abandonné tout espoir d'éveiller l'attention de sa mère. Au lieu de ça, elle est gaie et insipide en sa présence. « Je suis toujours enjouée à la maison, avec Maman. Enjouée, mais pas enthousiaste. Je ne peux pas la surcharger. Elle a besoin d'espace pour gérer ce qui l'accable. Je lui donne cet espace. C'est mon rôle à la maison. »

LIMITER LES DÉGÂTS

Les jeunes enfants se servent de leur propre famille pour déterminer ce qui est normal, aussi bizarre que cela puisse paraître à un étranger. Même lorsqu'ils se rendent compte que d'autres familles sont différentes, ils interprètent ce qu'ils voient à la lumière de ce qui est familier. Jane explique que, lorsqu'elle était petite, elle pensait que sa mère était comme les autres. Quand elle a vu la mère d'une amie rire et sourire, elle pensait que cette femme ôtait son « masque » dès que Jane s'en allait. Aujourd'hui, à 17 ans, Jane réalise que la plupart de ses amis ont vraiment une mère qui « rit et sourit et fait des choses avec eux ». Elle essaye d'offrir ce type d'interaction à son jeune frère et à sa petite sœur, et de les empêcher de penser, comme elle autrefois, que personne ne partage leurs joies et leurs peines.

Ce n'est pas avant ces dernières décennies que les psychologues se sont aperçus de la quantité de travail que les enfants font dans leur famille. Ils peuvent accomplir un grand nombre de tâches domestiques pour aider leurs parents. Parfois, comme Jane, ils peuvent assumer un rôle émotionnel pour protéger leurs frères et sœurs contre la solitude, le chagrin ou la maltraitance d'un parent. Prendre des responsabilités peut aider l'enfant à acquérir des compétences pour sa vie future, mais certaines responsabilités sont trop lourdes pour lui. Ils renoncent à leurs propres besoins pour satisfaire ceux d'autrui. Ils semblent mûrs, mais ils sont capables de paraître posés et compétents parce qu'ils ont renoncé à leurs propres chances de développement créatif.

PARER AUX ALÉAS

On entend souvent dire que les enfants vivent dans leur monde, inconscients des sentiments et des besoins d'autrui. Pendant longtemps, les psychologues du développement pensaient que le jeune enfant n'avait pas la notion de la pensée de l'autre. À l'époque, on croyait que les enfants étaient incapables de comprendre que les autres voyaient le monde autrement et avaient d'autres intérêts et pensées. Des recherches récentes ont montré un autre schéma de pensée infantile[1].

---

1. Jean Piaget, *La Formation du symbole chez l'enfant : imitation, jeu et rêve, image et représentation*, Delachaux et Niestlé, 1re édition, 1945.

Les enfants sont extrêmement sensibles aux pensées, humeurs et sentiments des gens qui ont de l'importance pour eux. Quand leur mère est malheureuse, ils essayent de la réconforter. Quand ce malheur est profond et prolongé, ils peuvent considérer que leur mission dans la vie, c'est de la rendre heureuse.

Toutes les conversations que j'ai avec Jaques, 33 ans, tournent autour de sa conviction : « Si je ne parviens pas à rendre ma mère heureuse, alors j'ai tout raté. »

Jacques a réussi beaucoup de choses dont il pourrait être fier. Il a fini ses études et remboursé son emprunt. Il est devenu expert-comptable et ses collègues le tiennent en haute estime. Il a des amis et une vie sociale agréable. Pourtant, son incapacité à sortir sa mère de la dépression lui laisse un cuisant sentiment d'échec. Cet état d'esprit le place à la merci des exigences et sautes d'humeur maternelles.

La dépression est généralement considérée comme un état de souffrance passive, mais elle s'accompagne souvent de coercition et de manipulation. La mère de Jacques, Alice, lui téléphone plusieurs fois par jour pour lui faire part de ses moindres sautes d'humeur. « Tu me gardes en vie », lui dit-elle à la fin de son appel, et il se sent récompensé par ses efforts. Mais, quelques heures plus tard, elle se sent à nouveau au plus bas et accapare une demi-heure de son temps et de son attention pour qu'il essaye de lui remonter le moral. Quand il est incapable d'endiguer ses humeurs au téléphone, il annule ses projets pour la soirée et fait les deux heures de route pour aller chez elle. Quand il repart, elle va bien, mais le temps qu'il rentre chez lui, un message l'attend sur son répondeur pour lui annoncer que sa condition se dégrade.

Alice est si absorbée par sa propre souffrance qu'elle n'a pas conscience des contraintes qu'elle impose à son fils. Jacques se croit chargé de gérer les humeurs qu'Alice ne parvient pas à gérer elle-même. Il ne peut pas accepter qu'il y ait des limites à ce qu'il est raisonnablement en mesure de faire. Quand il essaye de stopper sa dépression, Alice lui offre une brève période de gratitude, rapidement suivie par la requête : « Je suis malheureuse ; aide-moi à me sentir mieux. » Jacques est tenaillé par le dilemme : « Soit tu fais des efforts permanents pour satisfaire mes (impossibles) besoins, soit tu t'en veux terriblement. »

SÉQUELLES DURABLES

Aimer une mère absente, dépendre d'elle et essayer de la soigner laissent des séquelles. L'enfant d'une mère émotionnellement absente peut avoir du mal à jauger les émotions des autres. Habitué à une palette émotionnelle plate ou négative, les émotions qui nous sont familières peuvent lui paraître déplacées ; des émotions ordinaires lui semblent excessives, voire étranges et dangereuses.

Il peut aussi nourrir des croyances profondes sur le rôle qu'il doit jouer dans les relations intimes. Je parle alors de postulats parce que l'enfant établit des règles qu'il prend pour argent comptant et sur la foi desquelles il agit ou se comporte vis-à-vis d'autrui ; il s'impose ainsi un rôle à jouer dans ses interactions avec les autres qui, bien qu'inauthentique, lui semble normal.

Le premier postulat est que les besoins d'autrui sont plus importants que les vôtres.

Beaucoup d'enfants qui ont vécu auprès d'une mère absente et qui l'ont aimée en viennent à croire que leurs propres émotions, même si elles sont positives, sont étrangères et nuisibles. Pourtant, des émotions fortes et variées en disent long sur qui nous sommes. Les émotions peuvent être merveilleuses ou terribles, mais, dans les deux cas, elles nous révèlent nos affinités, besoins et intérêts. Quand un enfant a fixé son attention sur une mère dont les humeurs sont constamment douloureuses et qui exige (même implicitement) d'être soutenue, il peut croire que contrôler ses émotions est essentiel pour gérer une relation. Ces enfants font appel à des métaphores et parlent de « boîtes » ou de « portes scellées » pour décrire les stratégies de contrôle de leurs sentiments. Ils peuvent être si habitués à veiller sur la personne qu'ils aiment et dont ils dépendent qu'ils en deviennent très habiles à lire les sentiments d'autrui, mais minimisent voire ignorent les leurs. Leur postulat est : « Mes sentiments ne sont pas importants et mon rôle dans une relation consiste à gérer les sentiments de l'autre. »

Un deuxième postulat est que c'est toujours vous qui devez être la grande personne ou la personne responsable.

Les enfants et les adolescents qui endossent le rôle d'adulte peuvent paraître mûrs et sûrs d'eux, mais ils restent en partie impuissants et effrayés. Si on leur demande d'assumer plus de responsabilités qu'ils n'en sont raisonnablement capables, ils se cachent derrière l'image d'une personne très compétente et confiante. Pour préserver cette façade, ils doivent simplifier leurs pensées et leurs sentiments. Ils s'engagent à avoir une identité d'adulte sans analyser leurs intérêts et capacités. Même pendant l'adolescence et le début de l'âge adulte – une époque où les jeunes gens expérimentent normalement différents personnages, recherchent l'aventure et embrassent de nouveaux idéaux –, les fils et les filles qui endossent le rôle d'aide-soignant de leur mère se refusent cette latitude. Optant pour une voie de développement simple, ils évitent le doute et l'incertitude saine qui accompagnent une introspection plus stimulante. Le postulat selon lequel ils doivent être l'adulte digne de confiance conduit à une forclusion psychologique ou à la fermeture d'une opportunité de développement plus complexe.

Un troisième postulat est que l'on ne peut pas compter sur les autres.

Quand un petit enfant essaye d'attirer l'attention d'une mère absente et qu'il échoue constamment, son image de la « mère » peut passer de celle d'une présence vitale à celle d'une figure blême, inanimée, sans vie. Le postulat extrême qui peut s'ancrer en lui est : « La mère que j'ai intériorisée est morte. » La vraie mère peut être en vie, mais l'image dans l'esprit de l'enfant montre une personne morte, froide, rigide. L'enfant passe par une période de deuil, où il commence par protester contre la perte, puis il désespère de jamais retrouver sa mère, et, enfin, il se détache d'elle. Ces interactions avec sa mère peuvent paraître normales, mais pour l'enfant elles n'ont pas d'autre signification que des activités routinières réalisées avec une figure fantomatique. Les enfants qui ont intériorisé une « mère morte » parlent souvent d'autres personnes comme des « coquilles » ; elles portent des « masques d'émotion », elles ne sont pas « vraiment là ». L'enfant d'une mère absente part du postulat que personne ne peut vraiment être là pour lui et que les démonstrations d'émotion ne sont pas réelles. Même des échanges apparemment positifs ne sont pas gratifiants, parce que l'enfant pense que l'autre personne est morte à l'intérieur.

À CHAQUE ENFANT SA RÉACTION

La vie auprès d'une mère toxique peut forger la structure même de la personnalité de l'enfant ; pourtant, l'impact de cette expérience n'est pas déterminé ou immuable. La notion de mère toxique décrit une relation aux multiples facettes ; bien que la mère détienne un énorme pouvoir, l'enfant interprète et modèle la relation. Un enfant peut ressentir sa mère absente comme toxique tandis que son frère créera une relation plus agréable et gratifiante avec la même mère.

La mère est parfois plus exigeante avec l'un de ses enfants – l'aîné, le plus malléable ou le plus débrouillard. La mère préfère parfois un enfant à un autre, à cause de son sexe, de son rang de naissance ou de son tempérament. L'enfant peut devenir dépositaire du ressentiment ou de l'insatisfaction de sa mère, il est son bouc-émissaire pour tout ce qui ne va pas dans sa vie. Mais l'enfant influence aussi les réactions de sa mère. Un enfant parviendra à apaiser, amuser ou récompenser davantage sa mère qu'un autre. Les enfants d'une même mère peuvent aussi la percevoir de façons très différentes[1].

Supposons que deux filles aient une mère peu réceptive qui souffre d'une longue dépression. L'une est la préférée de sa grand-mère, qui lui prodigue beaucoup d'attention, la félicite, sort avec elle et partage ses intérêts. L'autre est si effacée que sa grand-mère a l'impression d'être distante et mal à l'aise avec elle. Cette fillette timide ressent le

1. Une étude de Judy Dunn et Robert Plomin sur les « vies séparées » que mènent les frères et sœurs au sein d'une même famille a montré qu'un tiers seulement des mères interrogées ont indiqué présenter « une intensité et une étendue d'affection similaire » pour leurs deux enfants, tandis que les deux tiers montraient une préférence et avaient l'impression que l'un des enfants était plus facile et plus agréable.

malaise de sa grand-mère et essaye de se rapprocher de sa mère. Elle découvre que l'humeur de sa mère s'éclaire parfois. Sa capacité à améliorer l'état d'esprit de sa mère est si gratifiante qu'elle s'y entraîne régulièrement et travaille dur pour l'améliorer. Comme elle constate que personne n'y arrive mieux qu'elle, elle en fait sa responsabilité.

Les enfants ont aussi des tolérances génétiques variées face aux circonstances difficiles. On parle de « gène de l'orchidée » pour désigner la variation du gène qui détermine la vulnérabilité de chacun aux circonstances difficiles. Un enfant qui porte ce gène sera hyper vigilant au stress, tandis que son frère ou sa sœur qui en est dépourvu remarquera à peine les conditions qui mettent l'autre en alerte maximale.

Le rang de naissance et les interactions entre frères et sœurs peuvent aussi influencer le vécu de l'enfant par rapport à sa mère. Le petit frère de Jane, par exemple, ne semble pas affecté par leur mère parce que sa sœur le protège. Elle l'entraîne dans la cuisine, ferme la porte et fait du bruit pour étouffer celui des sanglots de leur mère. Elle se penche et lui parle doucement à l'oreille, d'une voix calme. Le rôle de « petite maman » de Jane réduit l'impact de la dépression de sa mère sur son frère.

Adam et sa sœur de 6 ans, Camilla, ne vivent pas non plus leur relation à leur mère de la même façon. Tandis qu'Adam se sent responsable de la gestion des humeurs de sa mère, Camilla semble n'y prêter aucune attention. Elle joue tranquillement à côté de sa mère, dont le visage est quasiment inexpressif ; elle se parle à elle-même, dessine, interagit avec ses poupées. Le volume sonore élevé de la télévision ne semble pas la perturber, même si elle intègre parfois des bribes de conversation venant de la télévision et les bruitages qui les accompagnent dans son jeu avec ses poupées ou dans les conversations qu'elle tient avec elle-même. Elle commente constamment ce qu'elle dessine, ses choix de couleurs. De temps en temps, elle tourne la tête vers sa mère et reste silencieuse pendant quelques minutes. Quand sa mère croise son regard fixe, il y scintille une étincelle de chaleur. Camilla frémit de plaisir, puis retourne à son activité. Elle semble s'intéresser davantage à la réactivité occasionnelle et momentanée de sa mère qu'à sa mauvaise humeur qui prédomine.

La chronologie est aussi un facteur important dans le vécu différent des enfants par rapport à leur mère. Josée a été hospitalisée pour sa dépression peu après la naissance d'Adam. Pendant les premiers mois de l'enfant, au moment de la formation de son cerveau social, ses états intérieurs ne lui étaient donc pas présentés par la réceptivité de sa mère. Par conséquent, il a manqué de stimuli importants. La capacité d'Adam à déceler des signes d'émotion a été compromise. L'étincelle d'un sourire qui ravit Camilla ne s'imprime pas sur son radar apathique à lui[1] ; sa sœur et lui partagent la même mère, mais vivent dans des univers relationnels séparés.

1. La dépression post-partum a aussi un effet plus long et plus sévère sur les garçons que sur les filles, qui parviennent mieux à déclencher les réactions dont elles ont besoin chez leur pourvoyeuse de soins. Il semblerait aussi que davantage de femmes souffrent de dépression après la naissance d'un garçon que d'une fille.

ÉVALUER LES EFFETS D'UNE MÈRE ÉMOTIONNELLEMENT ABSENTE

La première étape d'un audit personnel consiste à identifier ses propres postulats. Ce sont les hypothèses ancrées et peut-être irréfléchies que vous pouvez vous être fixées dans le cadre de la relation avec votre mère. Elles peuvent continuer à sous-tendre vos comportements et attentes d'autrui, et influencer votre interprétation du comportement des autres. Elles peuvent être révélées en réfléchissant aux questions suivantes :

- Pensez-vous que l'objectif des interactions sociales est de contrôler les sentiments d'autrui ?

- Qu'est-ce qui vous effleure la conscience quand vous vous demandez si vous « devriez » parler ou garder le silence, si vous « devriez » rester dans la pièce avec une personne ou la laisser tranquille, si vous « devriez » lui rendre visite, si vous « devriez » faire ce qu'elle veut, même si c'est incommode ?

- Surveillez-vous anxieusement les réactions d'autrui ?

- Vous posez-vous souvent ces questions : « Seront-ils contents si je leur apprends cette nouvelle ? », « Seront-ils contents si je fais ça ? », « Vont-ils s'effondrer si j'oublie quelque chose, si je ne remarque pas quelque chose ou si je ne fais pas ce qu'ils me demandent ? ».

- Oscillez-vous entre la crainte et l'espoir quand vous songez à l'effet que vous produisez sur autrui ?

- Pensez-vous que votre rôle est de remarquer ce que les autres ressentent ?

La deuxième étape consiste à soupeser ces postulats par rapport à la palette de vos intérêts et désirs quand vous interagissez avec votre mère. « Soupeser » est utilisé ici métaphoriquement, au sens du bagage que vous transportez avec vous et que vous percevez ou non comme un fardeau :

- Avez-vous l'impression d'avoir le choix dans votre comportement, ou ses souhaits vous dictent-ils sans cesse vos actions ? (Cela s'applique uniquement à votre mère ; vous pouvez avoir adopté vos techniques de gestion d'une mère toxique comme stratégie générale.)

- Si vous décidez de ne pas faire ce qu'elle demande, ou ce que vous imaginez qu'elle veut, ressassez-vous des répercussions néfastes possibles ?

- Surveillez-vous anxieusement les humeurs et émotions d'autrui ?

- Essayez-vous de devancer les besoins des autres ?

La troisième étape consiste à évaluer à quel point ces postulats sont envahissants. En déterminant s'ils modèlent votre identité, vous pourriez vous demander :

- Est-ce que je me considère comme « bon » dans la mesure où je rends les autres heureux ?
- Mon rôle est-il de surveiller les sentiments d'autrui et de les gérer à leur place ?
- Est-ce que je panique à l'idée de ne pas être capable de « parer » aux humeurs d'autrui ?
- Est-ce que je considère mes propres émotions comme étrangères ou nocives ?

La quatrième étape consiste à considérer à quel point ces postulats vous accaparent :

- Est-ce que le malheur d'autrui, qu'il soit présenté passivement ou exprimé ouvertement, occupe une place centrale dans votre processus de prise de décision ?
- Ressentez-vous un brusque changement de vos priorités quand quelqu'un semble démotivé, bouleversé ou perturbé ?
- Abandonnez-vous vos projets à court terme, à moyen terme ou même à long terme pour gérer les sautes d'humeur d'autrui ?
- L'étape cinq consiste à identifier les comportements spécifiques dictés par ces postulats :

- Pensez aux choses que vous avez faites au cours des dernières semaines ou mois et qui ont été motivées par les postulats que vous avez identifiés. Il peut s'agir de visites rendues, de cadeaux offerts, d'invitations lancées ou de paroles prononcées. Évaluez le poids émotionnel que ce comportement fait peser sur vos épaules.

Cet audit vous aidera à vous prendre la main dans le sac en train d'adhérer à des postulats réducteurs. Il vous aidera à donner un sens à quelques-unes des décisions que vous avez prises et qui vous contrarient.

EXEMPLE D'AUDIT PERSONNEL

Certains des cas abordés dans ce chapitre impliquent des personnes trop jeunes pour réaliser leur propre audit émotionnel. Mais si Jacques, qui a 33 ans, devait faire cet exercice, son audit commencerait par cette question :

- Ai-je l'impression de pouvoir choisir comment me comporter ou est-ce que les souhaits de ma mère dictent toutes mes actions ?

Il pourrait alors se dire :

« Mon postulat est que, si je fais tout ce que ma mère me demande, elle sera heureuse, et je dois faire tout mon possible pour la rendre heureuse. Si je ne fais pas ce qu'elle me demande, j'ai le cœur serré et l'estomac noué par l'anxiété. »

Dévoiler ce postulat au grand jour révèle les contraintes que cela lui impose.

Imaginez qu'il se demande :

- Est-ce que je me considère comme « bon » dans la mesure où je rends les autres heureux ?

Cela l'inciterait à se dire :

« Je pense que mon rôle dans la vie est celui du bon garçon. Par conséquent, je vais voir ma mère tous les week-ends et j'espère qu'elle verra que je suis un bon fils et que cela la rendra heureuse. Quand je découvre qu'elle n'est pas heureuse, je laisse tout tomber et je consacre toute mon énergie à soulager sa douleur. Quand ces efforts n'ont qu'un effet temporaire, j'ai l'impression d'avoir tout raté. J'ai peur qu'elle meure et que je sois responsable de sa mort. »

Cela lie son postulat à son identité.

Imaginez qu'il se demande encore :

- Mon rôle est-il de surveiller les sentiments d'autrui et de les gérer à leur place ?

Il pourrait alors réfléchir à ses motivations :

« Je suis allé la voir cette semaine parce qu'elle semblait ne pas avoir le moral et je voulais lui faire plaisir. C'est ce que je fais généralement. Je le fais toujours pour ma mère. Et je suis très anxieux quand on me demande de faire quelque chose. J'ai l'impression de ne pas pouvoir refuser. J'ai l'impression que les gens vont s'effondrer si je refuse de faire ce qu'ils veulent. »

À partir de ce stade de l'audit, Jacques peut commencer à se demander s'il ne devrait pas revoir certains de ses postulats. Ce n'est évidemment pas facile. L'anxiété vécue depuis longtemps de risquer de « tuer » votre mère si vous faites ou ne faites pas quelque chose, ou la crainte qu'elle soit vraiment morte à l'intérieur, ne peut pas être balayée facilement. Mais une fois que l'anxiété a été révélée au grand jour, cela peut être un point de référence pour une remise en cause et une révision.

ÉQUILIBRER LES COMPTES

Certains des postulats acquis lors de la gestion d'une relation toxique développent l'empathie et les compétences relationnelles. Vivre aux côtés de gens toxiques peut nous permettre de mieux comprendre et négocier avec les autres. Parmi les choses positives que nous pouvons apprendre en gérant une mère absente, il y a :

- Être un « conteneur » pour la tristesse d'autrui. Cela signifie que vous pouvez montrer à vos proches que vous restez intact même s'ils éprouvent des sentiments très désagréables. Un « conteneur » est aussi une personne qui peut contrôler ses humeurs quand une autre ne les contrôle pas.

- « Lire » quelqu'un, surveiller toutes les expressions du visage et tous les gestes qui trahissent les états intérieurs.

- Repérer la fissure dans la déprime de quelqu'un et s'en servir pour améliorer son humeur.

Il y a évidemment de nombreux inconvénients à devoir interagir avec une mère absente et cela inclut :

- Négliger l'importance de ses propres sentiments.

- Se sentir coupable quand quelqu'un est malheureux.

- Être incapable de tolérer ses propres émotions.

- Renoncer à l'introspection, l'épanouissement et la confiance.

APRÈS L'AUDIT

Changer des convictions aussi profondément ancrées que des postulats implique un changement de personnalité. Ces instructions ancrées qui dictent vos décisions et vos priorités en viennent à faire tellement partie de vous que changer votre façon de voir semble impossible. « Qui serais-je si je ne pense plus à moi et à mes relations de ces façons qui me sont familières ? » À propos de sa vie auprès d'une mère toxique, l'auteur Kathryn Harrison écrit : « Qui serais-je sans ma mère ? Toute ma vie, je me suis vue comme son enfant, comme l'enfant qui s'efforçait de se faire aimer d'elle. Sans elle, il ne reste plus qu'un vide immense en moi. » Ce « vide immense en moi » ne doit pas nécessairement rester vide. Il peut être rempli avec de nouvelles histoires qui créent de nouvelles configurations dans notre vécu et mènent à de nouveaux postulats – des hypothèses qui se développent et qui nous libèrent. Comprendre son histoire passée fait faire un grand pas en avant dans sa nouvelle histoire.

8

SUIS-JE UNE MÈRE TOXIQUE ?

LA DIFFICULTÉ D'ÊTRE MÈRE

« Suis-je moi-même une mère toxique ? » Cette question vient comme une réaction instinctive à la simple mention des « mères toxiques ». C'est un thème anxiogène. Parmi les préoccupations fréquentes, on peut citer :

« Mon comportement nuit-il à mon enfant ? »

« Et la fois où j'ai perdu mon sang-froid alors que mon enfant me demandait simplement que je lui lise une troisième histoire, encore quelques minutes pour jouer ou parce que j'avais passé une mauvaise journée ? »

« Parce que j'ai claqué la porte de sa chambre, que j'ai crié "Finis ton assiette", ou que je l'ai grondé pour avoir renversé son lait, est-ce que cela fait de moi une mère monstrueuse, toujours en colère, toujours critique ? »

« Mon enfant est-il lésé par mes longues journées de travail ? »

« Les règles que j'ai établies le protègent-elles ou lui nuisent-elles ? »

« Suis-je la meilleure mère possible – la mère que mon enfant mérite ? »

Le concept de « mère » résonne avec tant de force que les mères sont souvent vues comme seules et uniques responsables du bien-être physique et psychologique de leurs enfants. En effet, une forme d'amour maternel est essentielle à la survie de l'enfant. Elle est aussi inscrite dans notre culture. Pourtant une mère éprouve une vaste palette de sentiments à l'égard de son enfant, et tous ne sont pas positifs. Les manifestations inévitables d'impatience ne font pas partie du cadre des versions d'amour maternel culturellement approuvées. Les difficultés rencontrées par la mère quand elle cherche à poursuivre ses propres intérêts et objectifs tout en satisfaisant aux besoins de son enfant peuvent jeter une ombre sur le bonheur total que la mère est supposée ressentir. Ces attentes génèrent des idéaux impossibles d'amour maternel, et certaines mères ont alors l'impression de devoir cacher leurs véritables sentiments pour être acceptées par les autres.

Dans ce chapitre, j'aborde les interrogations que se posent de nombreuses mères pour savoir si leur humanité variée leur fait endosser le rôle de la mère toxique. J'établis des distinctions entre, d'un côté, l'impression ordinaire d'être débordée par les difficultés d'être mère et, de l'autre, la condition exceptionnelle d'être une mère toxique. Ensuite, j'examine les expériences qu'une mère toxique peut avoir eues dans son enfance et qui créent souvent un cercle vicieux : la mère reproduit la relation toxique qu'elle a eue étant enfant ; et sa fille à son tour, une fois devenue mère, entretient une relation toxique avec son enfant. Nous décortiquerons les mécanismes de cette reconstitution pour trouver des moyens de briser ce cycle infernal.

MÈRE TOXIQUE OU MÈRE RÉELLE ?

À sa naissance, l'être humain est totalement sans défense, dans un état que d'autres espèces considéreraient comme prématuré. Un veau peut marcher quelques heures après sa naissance. Un chaton peut être retiré à sa mère au bout de deux mois. Chez les primates à fourrure, les nouveau-nés peuvent s'accrocher à leur mère et la serrer de près, mais le bébé humain qui vient d'être mis au monde est totalement dépendant de son pourvoyeur de soins. Les humains nécessitent de nombreuses années d'attention avant de ne serait-ce que commencer à se débrouiller tout seul. Par conséquent, ils demeurent extrêmement sensibles aux moindres signes d'abandon ou de négligence.

La seule capacité du bébé humain est de parvenir à soutirer des soins à quelqu'un. Ceux-ci sont nécessaires à sa survie physique, mais cela ne s'arrête pas là. Les soins sont le contexte essentiel pour le développement des relations qui donnent naissance à une conscience de soi. Dans cette relation interactive, un nourrisson humain gagne le potentiel de réfléchir à ses propres pensées et sentiments et de comprendre autrui. Quand une mère s'occupe de son bébé, ils stimulent tous deux leurs capacités à s'imaginer, à s'étonner et à se comprendre mutuellement. Le bébé construit alors un modèle de personne, avec des pensées et des sentiments, qui communique avec d'autres personnes qui ont aussi des pensées et des sentiments.

Pendant l'enfance et l'adolescence, les paroles et les actions de la mère sont grossies sous la loupe de leur enfant. Ses mots et ses gestes forgent le modèle de pensée interne que l'enfant construit et teste à l'aune de cette relation fondamentale. Cette histoire intime donne un pouvoir spécial à la mère. Une grande partie de ce pouvoir est positif ; mais, étant donné les pressions exercées par l'enfant pour son indépendance et son individualité, même le pouvoir d'une mère suffisamment bonne est modéré et controversé.

Une grande partie du pouvoir de la mère provient de l'image d'elle qui est intériorisée par l'enfant. Dans son roman *Portnoy et son complexe*, Philip Roth donne une vitalité comique au pouvoir omniprésent de la mère. Les premières pages décrivent la conviction du jeune Alexander Portnoy que sa mère est partout et qu'elle est incarnée par toutes les femmes ayant une quelconque importance. À l'école, Alexander est persuadé que l'institutrice est en fait sa mère déguisée. Il s'émerveille de sa capacité à changer de forme et de vêtements, à prendre différentes voix. Tous les jours, il rentre chez lui en courant, étonné qu'elle soit arrivée la première et de la trouver dans la cuisine, comme si elle n'était jamais partie. Il est partagé entre un sentiment d'admiration et de crainte pour son pouvoir magique : « Je crois que je redoutais même d'être voué à une mort certaine s'il m'arrivait de la repérer en plein vol, rentrant de l'école, pour s'engouffrer par la fenêtre de la chambre[1]. »

Le monde intérieur de l'enfant est rempli par l'image de sa mère ; il la voit dans toutes les femmes ; elle l'accompagne partout.

Cette forte présence intérieure réconforte mais, à un certain niveau, elle peut aussi être gênante. Normalement, l'image interne de la mère rétrécit quand l'enfant grandit, mais Philip Roth nous rappelle que même à l'âge adulte nous pouvons être dominés par une mère intériorisée devenue omniprésente. Cela peut nous inciter à la fois à la contrôler et à l'idéaliser. L'amour maternel doit être désintéressé ; la mère doit toujours être attentive et disponible. Si elle remplit ces conditions impossibles, son enfant n'a pas à se sentir embarrassé par sa dépendance. « Être mère », écrit Peg Streep, « est un concept sacré dans notre culture qui a une mythologie qui lui est propre ». L'une des origines de cette mythologie est le malaise général que provoque son pouvoir.

Le mythe selon lequel les sentiments de la mère sont sacrés, inaltérés par la diversité des rythmes humains, incite certaines femmes à se cacher derrière le « masque de la maternité ». Adrienne Rich est l'un des premiers écrivains qui a dévoilé

1. Philip Roth, *Portnoy et son complexe*, Gallimard, 1970.

le véritable visage derrière le masque. Dans son livre publié en 1976, *Naître d'une femme*, elle ose exposer l'ambivalence, les difficultés et les confusions inhérentes à l'amour maternel : « Mes enfants me causent la plus exquise souffrance que j'aie jamais connue. C'est la souffrance de l'ambivalence : l'alternance meurtrière entre le pire ressentiment et les nerfs à vif, et une satisfaction et une tendresse heureuses[1]. »

Comme cela arrive souvent quand une personne ose s'exprimer, d'autres voix lui font écho en révélant des secrets longtemps tus. Les formes vagues qui étaient autrefois marginalisées dans la vision périphérique occupent maintenant une place centrale et s'illuminent d'une surprenante clarté. Vingt ans après les mots courageux de Rich, Anne Roiphe écrit : « L'une des raisons pour lesquelles il est difficile de se dire satisfait de sa vie quand on a des enfants, c'est que la colère est omniprésente. Tous les jours, partout, elle est là, la tornade de la colère, la colère souterraine que trahissent vos gestes et vos paroles alors que vous n'aviez pas conscience de sa présence. » Pourtant, les mythes sacrés de l'amour maternel restent enracinés dans de nombreuses cultures. En ne parvenant pas à se conformer à ces idéaux irréalistes, la mère peut s'inquiéter de ne pas être suffisamment bonne. Elle porte un masque quand elle essaye de ressentir ce que, d'après elle, toute mère devrait ressentir. Dans le magistral recueil d'essais *The Bitch in the House* de Cathi Hanauer, de véritables mères parlent de

1. Adrienne Rich, *Naître d'une femme : la maternité en tant qu'expérience et institution*, Denoël, 1980.

leurs batailles avec des idéaux auxquels personne ne peut se mesurer. L'écriture repousse les limites des aspirations sacrées de la mère dévouée et aimante : « Je prends ma voix à la M. Rogers tandis que mon désespoir augmente », écrit Kristin van Ogtrop. « Ma tête ne va pas tarder à exploser et à se détacher de mon corps. » Au beau milieu de cette explosion, elle voit « [s]es voisins souriants que les épouses probablement parfaitement calmes sont allées chercher en voiture pour les ramener calmement dans leur maison calme où les enfants calmes ont déjà été baignés et sont prêts à aller se coucher ». Mais pour elle, « il est temps de commencer à hurler ».

Ayant hérité de sa propre mère l'image d'une relation mère-enfant dont la colère et les disputes sont exclues et qui, à la place, est gérée d'une main de velours, Elissa Schappell considère que sa colère est dangereuse. Ses propres enfants ne vont-ils pas fuir de terreur quand ils verront ses véritables sentiments ? Elle essaye, mais en vain, de réprimer le volcan de frustration qui explose quand son fils et sa fille se chamaillent et s'asticotent. « Non seulement on dirait que je passe mon temps à hurler de découragement, mais je suis affligée par la banalité de la cause de mes hurlements. » La fatigue, le stress et l'impatience font partie du quotidien quand on dit s'occuper d'enfants. Pourtant, les accès de colère et l'ambivalence sous-jacente passent souvent inaperçus car ces sentiments sont considérés comme inacceptables. Au lieu de protéger les enfants contre une mère difficile, ces contraintes peuvent inhiber la capacité de la mère à réfléchir à ses sentiments, son comportement et les réactions de son enfant.

Tout en mesurant la distance qui les sépare de la mère idéalisée, Kristin van Ogtrop et Elissa Schappell se demandent si elles sont des mères imparfaites. Mais tandis qu'elles décrivent leurs préoccupations elles révèlent précisément ce qui distingue la colère normale et l'ambivalence de réactions susceptibles de générer un environnement relationnel toxique : la clairvoyance et la compréhension. Van Ogtrop note le mensonge qu'elle introduit dans la relation quand elle parle avec sa « voix à la M. Rogers ». Schappell comprend que l'irritation qu'elle ressent face aux chamailleries de ses enfants provient de son propre stress, de sa fatigue et de son manque de patience plutôt que de leur méchanceté. Quand ses enfants s'excusent, elle sent son cœur fondre et le réconfort est mutuel et salvateur. La compréhension que l'on a de son propre comportement et de la réaction de ses enfants offre la plus solide protection possible contre le fait d'être une mère toxique.

DIFFÉRENCES CRUCIALES : CLAIRVOYANCE OU IGNORANCE

Normalement, nous sommes plutôt perspicaces dans nos observations de ceux que nous aimons. Notre survie, notre confort et notre stabilité sociale dépendent de notre capacité à anticiper la façon dont nos gestes et nos paroles affectent l'autre. Nous essayons de comprendre pourquoi les gens réagissent comme ils le font. Nous n'y parvenons pas toujours. Nous pouvons quitter une réunion en pensant avoir su démontrer notre point de vue et dit ce qu'il fallait pour découvrir ensuite que nous avons offensé un collègue qui aura compris un tout autre message que celui que nous voulions transmettre. Quand les choses tournent mal, nous sommes beaucoup plus prompts à comprendre en quoi les autres se trompent plutôt qu'à identifier nos propres erreurs. Mais dans une relation intime, nous avons d'innombrables occasions de peaufiner notre compréhension. La tâche essentielle de la mère et de l'enfant est d'apprendre à se connaître, d'anticiper et d'influencer les besoins et les actions de chacun. Les mères ont tendance à être si impliquées avec leur enfant qu'elles ont du mal à ne pas se laisser influencer par ses sentiments. Ce n'est pas facile pour une mère toxique de préserver son manque de clairvoyance. Elle protège l'histoire qu'elle se raconte et qu'elle transmet à son enfant. Elle interdit tout ajustement et prend de plus en plus ses distances vis-à-vis de l'épreuve du réel.

Ce qui différencie les mères suffisamment bonnes des mères toxiques, c'est la capacité des premières à réfléchir à leur propre colère, impatience et ambivalence[1]. Pour réfléchir, il faut être disposé à changer de perspective, à modérer ses propres besoins en relation avec autrui. Cela signifie imaginer comment quelqu'un d'autre pourrait réagir à vos paroles et à votre comportement. Cela implique de voir aussi la légitimité des réactions négatives. Cela signifie remarquer les signes qui trahissent les sentiments et pensées de votre enfant, même lorsqu'ils diffèrent de vos attentes et désirs.

---

1. Dans ce contexte, la « réflexion » est une version du processus de « mentalisation ».

L'une des caractéristiques les plus répandues chez les mères toxiques est leur rigidité mentale, leur volonté de s'accrocher à leur propre point de vue initial. À cela s'ajoute une extrême habileté à déjouer toute clairvoyance. Cette combinaison de parti pris et d'intelligence est extrêmement perturbante.

TACTIQUES FRÉQUENTES POUR ENTRETENIR LE MANQUE DE CLAIRVOYANCE

Parmi les tactiques classiques auxquelles une mère toxique a recours pour maintenir l'absence de clairvoyance et exclure le point de vue de l'autre, on peut citer :

Propriété de l'histoire, souvent sous la forme : « Un parent sait ce qui est bon. Les enfants ont besoin qu'une personne informée leur mette les points sur les i. » Dans cet état d'esprit, les connaissances et sentiments de l'enfant sont marginalisés.

Réfuter l'expérience de l'enfant : ce message global est étroitement lié à celui de la propriété de l'histoire : « Tu ne sais pas de quoi tu parles. » Le message est qu'il est inutile de tenir compte du point de vue de l'enfant puisque les enfants se trompent, leur mémoire leur joue des tours et ils affabulent. Le parent est le seul à savoir.

Revendiquer un statut supérieur, souvent sous la forme : « Je mérite un meilleur traitement » ou « Tu dois me montrer plus de respect ! ». Ainsi, les efforts de l'enfant pour faire valoir sa propre opinion sont considérés comme étant un délit répréhensible. L'issue dépend de ce que l'enfant doit à sa mère.

Rejeter sur l'enfant la faute du comportement du parent : « Tu m'as mis en colère. Tu es content ? Tu dis que tu n'aimes pas quand je crie, mais tu me forces toujours à crier. » Cela justifie les éclats de colère, et même les grossièretés. L'enfant, et non le parent, est considéré comme responsable de la colère de l'adulte.

Apitoiement sur son sort : les plaintes de l'enfant sont contrées par une version de « Et moi alors ? ». La mère signale qu'il y a une hiérarchie pour l'empathie et la compréhension, et qu'elle vient la première.

Déni par comparaison : la compétition pour savoir qui est celui qui ressent la plus grande souffrance est liée à l'apitoiement sur soi-même. « Tu ne sais pas ce que j'ai dû endurer » implique que l'enfant n'a pas le droit de se plaindre de la relation ou d'essayer de la changer parce que les relations que sa mère entretenait avec sa propre mère étaient encore plus toxiques.

Critiques globales : un enfant qui a « le diable en lui », « un mauvais fond » ou est « trop gâté » n'a pas le droit de demander à être entendu.

Des critiques sous le couvert de la préoccupation, souvent en indiquant que le comportement d'un enfant est symptomatique d'une maladie : « Te sens-tu mieux ? » peut être adressé à l'enfant dès que celui-ci a dépassé les bornes de la bonne volonté de sa mère, ce qui ne tarde pas à se produire. La sympathie remplace la conversation. Cette tactique peut servir à suggérer que tout sentiment négatif est inacceptable ; le mécontentement ou une simple différence d'opinion sont considérés comme symptomatique d'une maladie.

Refus de l'évidence : des déclarations du type « Jamais je n'imaginerais t'empêcher de faire ce que tu veux » et « Tu sais que tu peux tout me dire » peuvent être sans relation aucune avec le comportement maternel réel.

Accord apparent sans engagement : répondre à un enfant par « hum, oui, hum » donne l'impression de l'écouter, mais n'offre pas de réel engagement. Manquer de concentration, fuir toute discussion, faire des commentaires hors sujet sont différentes façons de donner une réponse superficielle qui manque de substance.

Promesses vides : il peut s'agir d'un accord apparent avec une promesse : « Je te revaudrai ça. » Autre exemple de promesse vide de sens : « Tu me remercieras quand tu seras grand » – c'est une revendication à laquelle l'enfant ne peut rien opposer.

Déversement d'anxiété : quand la question soulevée ébranle le point de vue de la mère, elle peut laisser son anxiété se déverser. Comme si elle avait utilisé un vaporisateur, la pièce se remplit de gouttelettes d'anxiété qui atteignent toutes les personnes présentes. Soit l'enfant s'enfuit, soit il essaye d'apaiser l'anxiété de son parent.

Déni flagrant, par exemple : « Je n'ai jamais dit ça », « Personne n'est alcoolique dans cette famille » ou « Personne ne t'a jamais fait de mal ». Le refus est parfois affirmé de façon autoritaire ; par exemple : « Personne dans cette famille n'est autorisé à parler ainsi. »

Moquerie et dérision : ce sont des armes impitoyables, capables d'inciter l'enfant à croire qu'il n'a pas le droit de s'exprimer. « Tu te prends pour qui ? », « Tu te crois intelligent », « Regarde-toi ; qui es-tu pour me dire ce que je dois faire ? » sont des phrases qui risquent de couper net les efforts de l'enfant pour négocier la relation dont il a besoin.

L'approche Aïkido : ce terme est emprunté à l'art martial qui consiste à retourner la force de l'adversaire contre lui. Dans une conversation, cela consiste à se servir des mots de l'autre comme des armes contre la personne qui les a prononcés. Si un enfant exprime un désir, des critiques ou un besoin, le parent peut s'en servir pour « démontrer » que l'enfant est « méchant ». Un usage fréquent de cette méthode – voir vos propres mots utilisés contre vous, surtout pour montrer que vous avez tort – décourage l'ouverture et met un terme à la conversation parent-enfant.

Quand j'interroge des mères qui sont qualifiées de toxiques par leurs fils ou filles, j'ai souvent du mal à les faire parler de leur propre enfance. Soit elles ne parviennent pas à se concentrer sur un point ou événement particulier, soit elles décrivent toujours la même poignée d'incidents en employant un vocabulaire limité. Il arrive que leurs récits montrent des revendications incohérentes et des accusations infondées. Leurs réflexions sont vagues et cousues de généralités, comme si leur enfance était dépourvue de clarté ou de détails. Quand j'insiste pour obtenir des éléments précis de leur vie passée, la chronologie est confuse et elles ont du mal à remettre les événements dans l'ordre. Leurs récits sont difficiles à suivre. Elles mentionnent un parent, un oncle, un frère ou une sœur et elles confondent les prénoms. Elles s'arrêtent au milieu d'une phrase et s'interrogent sur le sens de ce qu'elles racontaient ou me demandent de répéter ma question. Les phrases sont laissées en suspens, les pensées restent inabouties. Elles parlent beaucoup, mais la conversation tourne en rond, comme si les mots n'étaient qu'un moyen d'embrouiller la communication. Quand je leur demande de réfléchir à l'enfance de leur enfant, elles ont tendance à réfuter la possibilité que leur propre enfant ait pu être malheureux.

Je me suis donc demandé si elles avaient elles-mêmes eu une mère toxique. Quelqu'un avait-il réfréné leur besoin inné de donner un sens à leur existence ? Les expériences qu'elles avaient vécues dans l'enfance avaient-elles eu un impact sur leur capacité d'interaction avec leurs propres enfants ?

Tous les parents ont été un jour des enfants qui ont dû se tourner vers leur mère pour en obtenir réceptivité, réconfort et connexion. Si elle les a déçus, si leurs besoins ont été ignorés, s'ils n'en ont reçu que critiques et mépris, n'auraient-ils pas envie de mieux faire avec leurs propres enfants ? La plupart des personnes qui ont eu un parent toxique veulent offrir plus d'amour, davantage de compréhension, plus de soutien à leur enfant qu'ils n'en ont eux-mêmes reçus ; mais il est aussi possible que le parent qui, enfant, a eu un parent toxique devienne lui-même un parent toxique.

On note une inquiétante propension à répéter les difficultés vécues dans l'enfance et à reproduire les relations passées que nous avons trouvées désagréables. Une personne ayant un parent alcoolique et violent et qui aura cherché refuge auprès d'un ami ou partenaire constatera que la plupart des aspects toxiques de sa vie de famille sont reproduits dans cette nouvelle relation. Les psychologues font souvent le constat que les gens reproduisent les schémas relationnels auxquels ils essayent d'échapper. Trop souvent, les enfants qui ont vécu une relation toxique avec leurs parents infligent la même relation à leurs enfants. Aussi déterminés qu'ils soient à protéger leurs enfants des difficultés qu'ils ont éprouvées, les mêmes paroles de colère ou de mépris sortent de leur bouche.

Les fantômes des relations passées sommeillent en nous. Dans son lumineux article « Fantômes dans la chambre d'enfants », Selma Fraiberg décrit leur transmission de génération en génération. Chaque enfant est habité par le « passé oublié du parent » et doit surmonter des difficultés identiques. Fraiberg décrit un garçon de 5 mois qui ne grandissait plus et ne grossissait plus. Il avait triste mine et son corps était raide. Il était effacé et montrait une « indépendance » dérangeante en se tendant vers le biberon sans montrer les signes habituels de besoin et de supplication. Quand elle s'est intéressée à la mère du bébé, Fraiberg a constaté qu'elle ne paraissait pas perturbée par les vagissements de son bébé, même lorsqu'ils perçaient les tympans du reste de l'auditoire. Fraiberg a alors remarqué le son étrange de ses pleurs qui n'étaient pas modulés par les rythmes habituels traduisant l'insistance et l'espoir. La mère veillait à ce que son enfant soit propre, qu'il ait chaud et soit bien nourri, mais elle vaquait à ces obligations sans y prendre le moindre plaisir et en les précédant d'un soupir d'épuisement.

Fraiberg finit par découvrir le contexte dépressif de la mère qui avait elle-même été abandonnée quand elle était enfant. Elle n'avait pas connu la montée de plaisir mutuel des « yeux de l'amour ». Elle n'avait pas senti la réceptivité maternelle face à sa tristesse ou sa joie. Pendant son enfance, il était inutile qu'elle cherche à attirer le regard de sa mère. Aujourd'hui, ses interactions avec son propre enfant réveillent de douloureux souvenirs enfouis. Submergée par les sentiments négatifs que ces souvenirs évoquent, elle est incapable de répondre à son enfant.

Les souvenirs qui ne sont ni visibles ni reconnus sont d'autant plus puissants qu'ils sont douloureux. Ces présences fantomatiques imprègnent nos émotions et régissent notre comportement. Selon Freud, toute chose qui n'a pas été comprise resurgit inévitablement ; tel un fantôme, elle ne trouve pas de repos tant que le mystère n'a pas été résolu et le sortilège rompu. Ce ne sont pas les souffrances passées de la mère qui l'enferment dans un cercle vicieux, mais son incapacité à comprendre la signification de ses souffrances passées. D'après Fraiberg, résoudre le mystère – identifier et comprendre ses propres souffrances – pourrait rompre le maléfice et permettre à la mère de voir son enfant avec des yeux neufs et apprendre un nouveau répertoire de réactions.

RÉPÉTITION DES SCHÉMAS AMOUREUX

Tout couple mère-enfant entretient une relation unique, mais dans cette diversité individuelle infinie on peut distinguer des schémas fondamentaux d'attachement mère-enfant. Des liens solides, par exemple, offrent une impression de stabilité et de sécurité, comme on en trouve dans les deux tiers environ des relations mère-enfant. Des liens précaires caractérisent le tiers restant, avec 8 % à 10 % de liens anxiogènes, dans lesquels l'enfant est désorienté par la disparité entre les manifestations d'affection du parent et un réel engagement. L'enfant qui est confronté à ce type de double contrainte, ou message contradictoire, peut être anxieux parce qu'il lui semble impossible de comprendre ce qu'il se passe. Dans un attachement ambivalent, la mère oscille de façon inexplicable de l'amour et de la tendresse à la colère et à la menace. Confronté à cette inconsistance imprévisible, l'enfant essaye d'apaiser sa mère, car il est désireux de contrôler et de surveiller ses humeurs changeantes.

Si les divergences abondent, alors l'attachement sera ressenti comme « précaire et confus ».

De nombreux psychologues se sont intéressés à la façon dont les schémas d'attachement semblent être transmis de la grand-mère à la mère, puis à l'enfant. Une femme avoue : « Je voudrais être plus aimante, plus ouverte, plus fiable pour mon enfant que ma mère ne l'a été pour moi. » Pourtant, il est difficile de tracer de nouvelles voies relationnelles. Même lorsqu'une femme se promet d'être différente de sa mère, elle peut reproduire le modèle familier et toxique de maternage qu'elle a vécu. Le processus d'héritage fantomatique a été révélé sous un nouveau jour par Mary Main, qui a élaboré des questionnaires dans le but de comprendre les premières expériences d'attachement maternel. Les mères qui ont elles-mêmes vécu des attachements solides établissent beaucoup plus facilement un attachement sain similaire avec leur enfant. Celles qui semblent ambivalentes ou détachées indiquent qu'elles avaient elles-mêmes vécu des relations similaires avec leur mère[1].

---

1. Ces recherches sont menées par Mary Main, qui a fait le lien entre les souvenirs d'un parent de sa propre enfance avec son comportement actuel en tant que parent. Elle classe les mères dans des catégories allant de « repoussante » et « préoccupée »

Les souvenirs continuent à nous hanter bien après que nous pensons les avoir oubliés. Ils peuvent être évoqués dans un puissant « contexte de remémoration », de sorte que, même lorsque nous essayons de prendre un nouveau départ, notre comportement est influencé par les fantômes qui n'ont pas encore trouvé le repos.

SOUVENIRS FANTOMATIQUES

S'occuper d'un bébé est un processus intime, passionnel. Les gestes ordinaires pour le tenir et le nourrir provoquent un afflux de souvenirs à propos de notre propre expérience d'être materné. Spontanément, inconsciemment, nous puisons dans un répertoire d'émotions et de comportements que nous n'avons pas vécus depuis notre propre petite enfance. D'après Daniel Stern, ce nouveau contexte de remémoration est « le matériau brut d'une part importante de la réorganisation de l'identité maternelle en tant que fille et en tant que mère. Et, dans ce contexte de remémoration, les anciens schémas du vécu avec sa propre mère bousculent et imprègnent la nouvelle expérience d'être mère ».

Quand les expériences sont douloureuses, quand elles restent invisibles et ignorées, elles deviennent des fantômes qui s'interposent dans le lien mère-enfant. Un traumatisme subi par votre mère avant votre naissance, et qu'elle a passé sous silence,

---

à « sûre-autonome ». D'après son analyse, leurs réactions à des questions sur leur enfance semblent correspondre aux catégories d'attachement définies par Mary Ainsworth.

peut influer sur sa réaction à votre égard. Par conséquent, vous le ressentirez. Prenons l'exemple d'un homme qui souffrait constamment d'anxiété ; il voyait le monde comme un endroit effrayant et était toujours sur ses gardes, craignant d'être attaqué – même si aucune de ses expériences passées ne l'expliquait. Son incapacité à contrôler sa peur suggérait fortement que son cerveau avait été exposé à des niveaux d'hormones de stress anormalement élevés et qu'il avait des niveaux inférieurs à la normale de récepteurs de substances chimiques du stress. Pourtant, à sa connaissance, il n'avait jamais subi aucun traumatisme.

Louis Cozolino, le psychanalyste chargé de ce cas clinique, apprit de la mère du sujet qu'elle était encore une enfant au moment de l'Holocauste et qu'elle avait été témoin de l'arrestation de toute sa famille par la Gestapo. Elle n'avait jamais parlé de cette séparation ou des conditions de sa survie, mais ce traumatisme l'avait laissée en alerte constante. Elle pensait protéger son fils en taisant son histoire traumatique ; mais, comme la majorité d'entre nous, elle sous-estimait considérablement la quantité d'informations qu'elle avait communiquées à son fils à son sujet et à celui de son passé. Les fantômes du passé peuvent nous hanter pendant des générations, particulièrement ceux qui n'ont pas été nommés.

Mais la mémoire, aussi traumatique soit-elle, ne grave pas les comportements dans la pierre. Les mères elles-mêmes changent et s'épanouissent au contact de leur enfant. Les relations se tissent mutuellement. Le contexte de remémoration maternel peut initialement déclencher de l'anxiété et de l'ambivalence, mais les enfants ont évolué pour devenir, comme le dit Sarah Blaffer Hrdy, des militants et des commerciaux, des agents négociant leur propre survie. Dès la naissance, ils savent notoirement y faire pour charmer leurs pourvoyeurs de soins, en les suivant de leur regard adorateur, en réagissant à leur voix et à leur toucher. Ils excellent aussi à imposer leurs exigences. Leurs pleurs ont exactement l'intensité qui convient pour pousser quiconque ayant une oreille humaine à les cajoler pour les faire taire. Les bébés sont aussi très doués pour chorégraphier les interactions, chacune d'elles ajoutant une nouvelle pierre à l'édifice de leur relation. Toute femme qui entame les activités complexes du maternage dans un contexte de remémoration perturbé risque d'avoir des débuts difficiles. Le rythme de la danse formatrice pour l'esprit sera entrecoupé par les incursions des fantômes de son passé, mais l'enfant pourrait se révéler un excellent professeur, dont les leçons interactives lui vaudront bientôt une mère confiante et réactive.

Des mères qui ont elles-mêmes subi des privations, l'abandon, la brutalité et la maltraitance parviennent aussi à instaurer une relation solide et agréable avec leur enfant. Le cercle vicieux peut devenir un cercle vertueux d'attachement positif, tandis que la conversation mère-bébé prend le pas sur les schémas d'interaction issus du passé. Pour parvenir à sortir du cercle vicieux, il ne faut pas bannir le contexte de remémoration, mais utiliser la mémoire pour réfléchir à ses réactions et les corriger. La mère que décrit Selma Fraiberg, qui reste assise passivement pendant que son bébé pleure, dont le visage est dépourvu d'émotions tandis que celui de son bébé est rouge de colère, n'a pas de mémoire physique de gestes de tendresse réconfortants. Tournée sur elle-même, rêveuse, distante, elle ne sait tout simplement pas comment interagir avec son bébé. Mais tandis qu'elle découvre les douloureux souvenirs de son propre abandon, elle prend conscience de ce qu'il lui reste à apprendre, sans mémoire physique pour la guider[1].

Les fantômes de la chambre d'enfant, conclut Fraiberg, ne perpétuent pas « la répétition aveugle de ce passé pathologique ». Si une femme peut parler de façon cohérente de ses expériences et réfléchir à son détachement et à ses envies, elle peut alors comprendre ce qui l'a blessée et elle peut protéger son enfant contre des blessures émotionnelles similaires.

LES MÈRES TOXIQUES N'APPRENNENT PAS

Il est toujours possible d'apprendre de nouvelles façons de développer et d'entretenir des relations. L'expression selon laquelle « Ce n'est pas à un vieux singe qu'on apprend à faire la grimace » est à la fois fausse et dangereuse. Les premières expériences exercent une influence considérable, mais nous pouvons changer de point de vue et acquérir de nouvelles habitudes. Nous changeons

1. Une intervention importante consiste à coacher les mères vulnérables afin qu'elles interagissent activement avec leur enfant. Le processus d'apprentissage va donc au-delà de la révélation de souvenirs négatifs.

littéralement d'avis quand le pouvoir d'observer, d'évaluer et de reconsidérer reconnecte les circuits de notre cerveau.

Il est peu probable que les mères qui génèrent un environnement relationnel toxique considèrent d'autres interprétations possibles de leur comportement. Il est peu probable qu'elles voient les choses du point de vue de l'enfant ou qu'elles acceptent que leurs actions aient un effet différent de celui attendu. Elles foncent tête baissée, farouchement sûres de leur fait et se sentant blessées par quiconque tenterait de modifier leur point de vue. Dans cet état d'esprit, elles interpréteront probablement les efforts de leur enfant pour être « des militants et des commerciaux, des agents négociant leur propre survie » comme étant symptomatiques de leur hostilité, de leur perversion ou, cas extrêmes, de leur diabolisme.

Évidemment, les mères peuvent progresser et apprendre. La « toxicité » n'est pas nécessairement une constante. La femme dans la clinique de Fraiberg qui restait assise passivement quand son enfant pleurait, qui s'occupait sans plaisir de son enfant, est devenue – après l'intervention de Fraiberg – un parent engagé, responsable. La plupart des gens peuvent améliorer leurs capacités à répondre et à « écouter » (au sens large), soit par des interventions cliniques, soit par leurs propres efforts. En général, les mères qui ont eu des expériences d'attachement toxiques, mais qui sont capables de s'en souvenir, d'y réfléchir et de comprendre qu'elles ont été blessées, sont en mesure d'utiliser ces expériences négatives pour prendre davantage conscience de ce qui pourrait blesser leur enfant et lui nuire.

La mentalisation – la capacité à identifier et à réfléchir sur les pensées et sentiments, à la fois les siens et ceux d'autrui – joue un rôle essentiel dans les premiers apprentissages et dans l'attachement, mais c'est aussi un outil crucial pour toute la vie. À tout moment dans la vie de l'enfant, la compréhension de sa mère, son appréciation et sa réactivité auront probablement un impact bienvenu. Quand notre capacité à mentaliser s'améliore, nous pouvons entrevoir la complexité des interactions. Cette capacité peut amorcer un cycle de maternage totalement différent.

MENER VOTRE AUDIT PERSONNEL

Risquez-vous de reproduire vos expériences toxiques avec votre enfant ?

Si vous avez eu une relation toxique avec votre mère, vous pouvez être décidée à être une mère très différente, pourtant vous êtes probablement anxieuse, car vous n'êtes pas certaine d'y parvenir. La première étape est de réfléchir à votre propre expérience familiale.

Écrivez votre histoire familiale.

- Décrivez vos parents pendant votre enfance.

Illustrez vos propos généraux par des exemples précis. (Que votre enfance soit horrible ou parfaitement normale, donnez des exemples démontrant vos propos.)

- Vérifiez s'il y a une parfaite adéquation entre vos commentaires généraux et les épisodes et exemples spécifiques cités.

Les généralités et les souvenirs spécifiques doivent concorder. Si c'est le cas, votre récit est cohérent et vous avez moins de risques de reproduire vos propres expériences toxiques avec votre enfant.

- Écrivez une liste d'adjectifs qui pourraient décrire vos relations avec chacun de vos parents. Ensuite, citez des souvenirs d'événements, d'actions ou de paroles pour étayer ces adjectifs.

- Relisez ce que vous avez écrit. Pouvez-vous expliquer pourquoi votre parent ou vos parents ont agi comme ils l'ont fait ?

- Décrivez maintenant votre relation actuelle avec vos parents. Comment a-t-elle évolué ?

- Testez votre capacité à changer de point de vue en décrivant les mêmes événements du point de vue d'autres protagonistes. Assurez-vous que la chronologie est claire et cohérente.

- Enfin, décrivez de quelles façons votre vécu en tant qu'enfant a affecté votre comportement actuel, notamment votre comportement de parent.

Les réponses à ces questions importent moins que de se les poser et d'exercer sa capacité à réfléchir, à développer et à réviser son point de vue.

ÉVALUER VOS DÉFENSES

La prochaine étape consiste à dresser la liste de vos parades fréquentes et à vous demander si vous y avez recours par habitude.

Essayez-vous de « posséder » l'histoire de votre enfant ?

Le parent peut être étonné par la version qu'a l'enfant de ses expériences, qu'elles se soient produites hier ou il y a des années. Vous y reconnaîtrez des éléments, mais vous ne serez pas nécessairement d'accord avec l'interprétation donnée par votre enfant si de nombreux détails paraissent erronés :

- Lui répondez-vous en vous exclamant : « Sottises ! » ?
- Ou bien, rendez-vous compte du point de vue de votre enfant et vous montrez-vous disposé à apprendre ?
- Voulez-vous à toutes fins que la mémoire de votre enfant soit défaillante ou êtes-vous disposé à remettre en cause la vôtre ?

Nier la véracité des souvenirs de votre enfant peut être une façon de vous emparer de son histoire et donc de refuser d'écouter. Dans une relation intime, il est douloureux et offensant de ne pas être écouté.

Blâmez-vous facilement votre enfant quand vous êtes en colère ?

- Quand vous perdez votre sang-froid, blâmez-vous votre enfant pour vous avoir « fait » crier et enrager, ou voyez-vous la douleur que votre colère inflige à votre enfant ?
- Pensez-vous qu'« il mérite de souffrir » ou parvenez-vous à comprendre que vos réactions viennent de vous et qu'elles ne sont pas de la faute des autres ?

Quand votre enfant commet une erreur, pensez-vous que c'est un défaut général ?

- Quand votre enfant se comporte mal, considérez-vous ce comportement comme représentatif de qui il est ou comme un problème spécifique ?

Les critiques globales peuvent laisser un sentiment de honte, tandis que les critiques spécifiques sont souvent plus appropriées et constructives. Les gens adoptent parfois des façons de critiquer qu'ils ont apprises de leurs parents et ils s'en servent même si ces remarques les ont eux-mêmes blessés. Vous devrez vous efforcer de changer cette habitude.

Votre première réaction peut être de blâmer l'enfant. Peut-être liez-vous cette erreur à d'autres et voyez-vous le manque général de jugement de votre enfant. Peut-être réagissez-vous uniquement à la situation en fonction de la force de vos sentiments actuels.

Cette réaction peut être modérée par la clairvoyance : vous voyez les erreurs de votre enfant et vous êtes en colère, mais vous pouvez essayer de vous placer du point de vue de l'enfant. Au lieu de laisser échapper votre colère, vous pouvez réfléchir à une meilleure façon de montrer à votre enfant le problème spécifique posé par son comportement.

Les critiques et les plaintes vous mettent-elles toujours trop en colère pour vous demander si elles sont justifiées ?

- Pouvez-vous entendre des plaintes et des critiques de la part de votre enfant sans vous mettre en colère ? Lui renvoyez-vous des critiques et des plaintes ou êtes-vous capable de réfléchir, d'écouter et d'explorer ?

- Êtes-vous capable de rester concentré sur les problèmes ou les tracas de votre enfant sans le punir en ridiculisant ses plaintes ou en l'accusant de vous manquer de respect ?

Il peut être désagréable de vous poser ces questions ; mais si vous pouvez réfléchir à votre propre comportement et être attentif à la réaction d'un enfant, vous devriez pouvoir remplacer les défenses qui génèrent une relation toxique par les réactions qui facilitent l'attention et la compréhension.

LES PREMIÈRES ÉTAPES DE LA PARENTALITÉ

Quand on devient parent, le contexte de remémoration qui dicte la façon dont on réagit face à l'enfant est généralement inconscient. Les soins dont on a bénéficié ou l'absence de bon modèle pour s'occuper d'un nourrisson sont profondément ancrés, mais pas irréversibles. Si vous avez l'impression que votre propre expérience des premiers soins est défaillante, vos souvenirs implicites peuvent en être la cause. Vous pouvez veiller à :

- Tenir votre bébé pour qu'il puisse voir votre visage.
- Suivre le regard du bébé.
- Imiter les expressions du visage du bébé.

Si vous pensez que votre bébé essaye de sourire, rendez-lui son sourire et montrez du plaisir. Si votre bébé pleure, occupez-vous tranquillement de lui quelques instants, exprimez votre intérêt et faites une tête (légèrement) préoccupée.

Observez les réactions de votre bébé face aux expressions de votre visage.

- Essayez de faire des mouvements distincts avec votre bouche et regardez-le vous imiter. Si vous tirez la langue, un bébé de trois semaines devrait essayer de faire de même. Cela montre à quel point il vous regarde attentivement, à quel point il est déterminé à apprendre de vous.

- Modulez votre voix de différentes façons quand vous tenez votre bébé. Essayez de ressentir ses réactions physiques (par des mouvements des bras et des jambes ou par la direction de son regard) à vos différents tons.
- Regardez votre bébé vous observer. Soutenez son regard et voyez comme il suit le vôtre. Faites-lui les « yeux de l'amour » pour montrer que vous appréciez son attention.
- Quand votre bébé commence à s'agiter et à détourner la tête, vous pouvez interrompre le contact visuel pour le laisser se reposer après ces interactions passionnantes. Attendez qu'il vous donne des signes indiquant qu'il est prêt à se réengager.

Si vous constatez que vous interagissez de façon plutôt naturelle, cela signifie que vous avez dû avoir une assez bonne expérience des soins quand vous étiez bébé et que la relation est devenue toxique par la suite.

MENTALISATION : DIFFÉRENTES SIGNIFICATIONS POUR DES ÂGES DIFFÉRENTS

Les enfants apprécient l'attention de leur parent à la plupart des âges de la vie. Ils veulent être reconnus et compris. L'incapacité à « voir », comprendre et écouter dans cette puissante relation frappe l'enfant comme une défaillance morale et une trahison du lien parent-enfant. Votre enfant sera probablement votre meilleur professeur pour vous enseigner des leçons de prévenance. Voici pourtant quelques comportements que l'enfant retrouve fréquemment chez un parent toxique :

- Il n'écoute pas quand l'enfant lui parle de son insatisfaction.
- Il dit que l'enfant a tort d'éprouver ses sentiments.
- Il pense que si l'enfant est fâché contre lui, quelque chose ne va pas chez l'enfant.
- Il voit uniquement ce qu'il veut voir.
- Il suppose que l'enfant ne peut pas avoir de sentiments et de pensées distinctes des siennes.
- Il suppose qu'il sait exactement ce que l'enfant pense et ressent.
- Il n'écoute pas les messages de l'enfant.
- Il entend ce que l'enfant dit de lui comme des critiques.

Les enfants veulent de « vraies » mères et pas des mères parfaites. Ils sont inévitablement confrontés à des frustrations et à des déceptions. Mais pour la psychanalyste Alice Miller, « toutes les vies sont pleines de frustrations et il ne peut en être autrement. Ce n'est pas tant la souffrance qui est destructrice que l'interdiction d'exprimer cette souffrance ».

9

LA RÉSILIENCE : SURMONTER LE POUVOIR DE LA MÈRE TOXIQUE

LE PARADOXE INTÉRIEUR

Nous développons notre personnalité non seulement à travers nos sentiments et sensations, mais aussi par le biais de nos relations avec autrui. La mère et son bébé forment ce que l'on appelle la « relation fondamentale » dans laquelle la mère stimule la notion rudimentaire du « je » et de l'« autre ». Nous prenons conscience de nous à travers la curiosité que montre notre mère envers nos expériences et émotions. Une relation toxique prolongée avec notre mère aura probablement un effet sur notre façon d'interpréter notre propre monde intérieur.

Comprendre qui nous sommes et donner un sens à notre histoire personnelle sont des aspects essentiels de notre bien-être. Pour comprendre qui nous sommes, nous devons aussi comprendre nos relations fondamentales. C'est un exercice physique et émotionnel autant qu'intellectuel. Nos réflexions sur les choses importantes de notre existence convoquent de fortes sensations physiques. Nos sentiments s'insinuent dans notre vision du monde. Quand nos expériences positives sont majoritairement en accord avec nos attentes, quand nous sentons que nous nous faisons comprendre des autres, quand nous comprenons ce qui est dit et de quelles façons les actions de l'autre s'intègrent à la vie quotidienne, nous nous sentons entiers, confiants et pleins d'énergie. Au contraire, quand nous sommes déconcertés par les humeurs changeantes et les motivations inexplicables de la personne que nous aimons ou dont nous dépendons, nous risquons de perdre pied émotionnellement.

Les enfants dépendent de la détermination de leur mère à les comprendre. Une mère toxique prend possession des histoires de son enfant ou de son moi-autobiographique. Elle les condamne, les limite et les déforme. Au lieu de vérifier ses attentes et exigences par rapport aux désirs et capacités de l'enfant, elle lui dicte qui il est ou qui il devrait être. Cela présente un dilemme : renonce à ta propre voix – le lien entre ton moi intérieur et ton moi extérieur – et préserve cette relation significative ou essaye de protéger ta propre voix, mais subis le mépris, les critiques et le ridicule de la part d'une personne dont tu dépends.

Si tu ignores tes propres pensées et si tu nies tes propres souhaits pour satisfaire aux exigences d'une mère toxique, alors il ne te reste plus qu'à développer un faux moi. Si tu gardes foi en tes propres sentiments, pensées et besoins, alors une relation authentique avec une personne que tu aimes t'est refusée.

Chacune des options pose problème. Même si vous êtes prêt à renoncer à votre propre voix, vous ne pouvez pas satisfaire aux conditions de ce dilemme. Vous devez déployer une quantité énorme d'énergie mentale dans la tentative de réprimer vos véritables pensées et sentiments qui luttent pour trouver d'autres moyens d'expression. Vous êtes probablement puni pour l'expression partielle de vos pensées et sentiments. Sans la résonance des personnes que vous aimez, vous ne vous comprenez qu'à moitié. Lorsque vous vous exprimez et que vous êtes confronté à la dissonance, vous commencez à douter de la valeur de vos paroles.

La plupart des mères participent à la quête innée de leur enfant pour être compris. Elles trient et séparent leurs propres besoins de ceux de leur enfant. Elles apprennent à le connaître en l'observant, l'écoutant et le questionnant. Elles montrent qu'elle l'écoute attentivement, même quand elles endossent le rôle de guide et de gendarme.

Dans un environnement suffisamment bon, les enfants travaillent dur pour apprendre à leur mère à être un suffisamment bon parent. De différentes façons et à différents stades de leur vie, les enfants utilisent différentes tactiques pour informer leur mère de leurs changements d'opinions et d'aspirations. Ils la persuadent d'ajuster son point de vue sur qui ils sont et qui ils veulent être. La persuasion prend de nombreuses formes. Il suffit parfois d'un vif « rappel d'identité » : « Ce n'est pas ce que je pense ! » ou bien « Je n'aime plus ça depuis que je suis petit ! ». Des disputes peuvent éclater à cause de la frustration de l'enfant qui peut aussi bien naître de ses propres incertitudes que de la maladresse de sa mère. Ajuster et négocier cette relation est une entreprise passionnée et des heurts sont inévitables. La bonne volonté ne suffit pas toujours à recalibrer la relation et les dossiers cliniques regorgent d'incompréhensions profondes et persistantes.

Les enfants qui décrivent une mère toxique subissent des frustrations à répétition quand ils essayent d'améliorer et de renégocier ce lien fondamental. Ils pensent que leurs efforts pour communiquer, expliquer et mettre à jour leur relation sont considérés comme « mauvais ». Ils décrivent une mère qui punit toute résistance à son contrôle. Ils se sentent piégés par son autojustification. Le monde de l'enfant devient flou, paradoxal et capricieux.

Pendant l'adolescence, quand le fils ou la fille met à profit de nouveaux pouvoirs d'argumentation et de persuasion pour s'expliquer et se défendre, la mère toxique ressent l'indépendance et la différence de son enfant comme dangereuses. Elle le punit, le ridiculise et l'ignore. Les conversations se heurtent à un mur ou dévient. On constate d'habiles dérobades, des tentatives pour noyer le poisson et des excuses étranges. Les paroles sincères de l'enfant semblent se dissoudre dans le chaos.

Une mère toxique prend le contrôle du passé, y compris de la mémoire de l'enfant. Le message est : « Comme tu n'es qu'un enfant, c'est toi qui te souviens mal ; si tes souvenirs sont incompatibles avec mon histoire, alors tu inventes, tu déformes ou tu imagines des choses – comme les enfants le font. » L'énorme impact émotionnel sur l'enfant de la punition ou du ridicule n'est pas pris en compte. Le message est : « Tu n'as aucune raison de te plaindre. » Même les événements violents ou la maltraitance sont parfois passés sous silence, niés ou censurés par ces mêmes personnes dont nous dépendons pour faire résonner notre vie intérieure. Une mère toxique nous présente le paradoxe d'être à la fois proche et fermée.

ESSAYER DE COMPRENDRE

Selon le psychologue Bruno Bettelheim, la plupart des choses sont supportables si nous parvenons à leur donner un sens. Les enfants de mères toxiques déploient énormément d'énergie pour essayer de donner un sens au comportement de leur mère. Ils réfléchissent à des questions du type « Pourquoi se fâche-t-elle autant ? » et « Pourquoi mes propres besoins sont-ils infondés ? ».

Les enfants essayent d'obtenir l'aide de leur mère pour clarifier leur histoire. Même à l'âge adulte, ils peuvent avoir l'impression que leur propre point de vue manque de profondeur et de validité à moins que leur mère n'accepte leur version. Mais cette acceptation est peu probable : par définition, une mère toxique n'est pas un auditeur émotionnel. Elle n'est pas disposée à ajuster son point de vue en fonction de celui de l'enfant. La mère toxique ne collabore pas avec les efforts de son enfant pour clarifier et consolider leur histoire. Au lieu de cela, elle campe fermement sur ses positions. Une demande faite pour réviser cette histoire est souvent considérée comme une attaque personnelle. En représailles, la mère toxique peut aggraver le dilemme de l'enfant, entre revendiquer ses propres connaissances et besoins d'une part, et être mis à l'écart d'autre part.

De nombreux enfants développent alors des stratégies pour gérer ce dilemme. Certains essayent de se conformer aux opinions de leur mère et de nier les leurs. D'autres choisissent de se cacher : ils font semblant de se conformer aux attentes de leur mère, tout en essayant secrètement de se connaître. Certains enfants sont capables de puiser dans d'autres ressources et d'établir d'autres liens qui comblent les lacunes de leur lien fondamental. « C'est ce que ma mère exige, mais j'ai appris que je peux avoir des relations plus vastes et plus authentiques avec d'autres personnes », constatent-ils. Les grands-parents, les frères et sœurs, les enseignants et les amis, sont autant de ressources possibles pour un soutien émotionnel. Même dans des circonstances de graves difficultés, certains enfants sont capables de nouer des relations avec d'autres personnes. Ils savent qui peut réagir, apprennent à s'engager auprès d'autres personnes et construisent une relation avec elles. Ce processus d'engagement renforce leur confiance et les effets positifs se multiplient.

L'impact au jour le jour d'une relation toxique peut diminuer au fur et à mesure que les enfants grandissent, partagent leurs problèmes avec leurs amis, reçoivent de l'amour par ailleurs, découvrent de nouvelles façons de se tester et de s'exprimer, et prennent assez confiance en eux pour se comprendre eux-mêmes et comprendre les autres. Pourtant, il est rare que ces enfants une fois devenus adultes soient entièrement libérés de cet ancien paradoxe et dilemme.

Au fil du temps, l'équilibre des forces peut changer. À l'âge adulte, le fils ou la fille peut être assez habile pour se mettre hors de portée du dilemme de la mère toxique. La dépendance d'une mère vieillissante peut aboutir à de nouvelles perspectives et appréciations, à la fois pour la mère et pour son enfant adulte. Mais pour certains, la relation toxique demeure inchangée et a la même intensité. Même lorsque la relation s'améliore à l'âge adulte, les batailles de l'enfance continuent. Le décès de la mère ne diminue pas nécessairement son pouvoir. La mort achève sa vie, mais pas les modèles de pensée, les sentiments et les attentes que l'enfant développe dans cette relation fondamentale.

SURMONTER LE POUVOIR D'UNE MÈRE TOXIQUE

Qu'est-ce qui peut nous aider à surmonter les séquelles laissées par une mère toxique ?

Comprendre la relation aide à en vaincre le pouvoir. Accorder notre moi-central et notre moi-autobiographique nous libère des opinions maternelles incohérentes et inadaptées. Quand nous le faisons l'esprit ouvert, avec de l'empathie envers nous-mêmes (notre moi à la fois passé et présent), et avec une perspective suffisamment vaste, nous avons de bonnes chances de vaincre cette sensation écœurante de nous croire fautifs parce qu'incapables de satisfaire à des exigences paradoxales.

La compréhension, associée à la perspective et à la réflexivité, a-t-elle vraiment un tel pouvoir ? Oui.

En donnant un sens aux expériences de l'enfance, nous pouvons transformer une relation incohérente en une relation dynamique et gérable à laquelle nous pouvons réfléchir. La compréhension modifie les attentes, les associations et les interprétations. Cela change nos cerveaux, même au niveau de l'activité neuronale et des connexions synaptiques. En révisant les histoires que nous nous racontons à propos de qui nous sommes et de ce que la vie nous réserve, nous pouvons développer de nouvelles pulsions et réactions. La façon dont nous donnons du sens – la façon dont nous pensons et repensons notre vie, dont nous saisissons et conservons la signification au fil du temps – modèle notre manière de penser. Les histoires qui forment notre moi-autobiographique peuvent reconnecter notre cerveau.

LE POUVOIR DES HISTOIRES

Le pouvoir de guérison des histoires personnelles revisitées est bien connu. Une étude a démontré que la complexité et la cohérence de leur histoire protègent les enfants et les adolescents des bouleversements et perturbations profonds provoqués par une mère toxique.

Les jeunes interrogés dans le cadre d'une étude menée par Stuart Hauser n'étaient pas seulement malheureux ; c'étaient des délinquants qui représentaient un danger pour eux-mêmes et pour les autres. Pour diverses raisons, ils étaient tous internés dans un hôpital psychiatrique. Leurs taux de rétablissement n'étaient pas bons : au bout de douze ans d'hospitalisation, 58 sur les 67 patients étaient toujours perturbés et malheureux. En voulant comprendre les difficultés de ces jeunes gens, les chercheurs n'ont pas eu de mal à identifier des événements et des relations qui ont contribué à leurs problèmes. Leur foyer était généralement chaotique et menaçant. Il y avait peu de liens familiaux solides qui auraient pu leur apporter un soutien pour compenser une mauvaise relation avec la mère. Il y avait peu de discipline systématique – bien qu'il y ait beaucoup de disputes et de maltraitance. Leur école ne disposait pas des ressources nécessaires pour les stimuler ou les contrôler. Leurs communautés étaient partagées ou hostiles. Pourtant, au lieu de s'en tenir à la question « Pourquoi ces jeunes sont-ils si perturbés ? », les chercheurs se sont concentrés sur les jeunes gens qui s'en sont sortis. Ils se sont demandé : « Pourquoi 9 de ces enfants sont-ils devenus des adultes brillants, optimistes et confiants ? »

La plupart des explications du comportement humain impliquent, dans une large mesure, l'influence familiale et les gènes dont on a hérité. Ces deux influences – l'inné et l'acquis – ne sont plus considérées comme des facteurs distincts ; chacune interagit au contraire étroitement avec l'autre. C'est l'environnement qui détermine que certains gènes sont actifs ou dormants. Les gènes influent sur le comportement qui, à son tour, influence la façon dont les gens choisissent et modèlent leur environnement. Ensuite, cet environnement choisi déclenche ou réprime d'autres expressions génétiques. Il est évident que les enfants de l'étude portaient des gènes qui les rendaient vulnérables à la détresse psychologique. Ils vivaient aussi dans des environnements difficiles. Il n'y avait donc rien d'étonnant à leur prédisposition à la dépression. Mais pourquoi certains d'entre eux ont-ils réussi à s'en sortir ? Le mystère réside dans leur résilience.

La résilience ne signifie pas que vous ne ressentez plus la douleur et la déception. Cela ne signifie pas que vous n'êtes pas affecté par votre passé. Cela signifie plutôt que vous n'êtes pas dominé par ces difficultés, que vous parvenez à éviter le cercle vicieux qui consiste à reproduire le comportement et la relation qui vous ont blessé. Cela signifie aussi que vous pouvez réfléchir aux schémas, aux défenses et aux compromis que vous avez élaborés pour gérer une mère toxique. Cela signifie enfin que vous pouvez développer des façons plus positives de répondre à vos besoins.

Les psychologues menant l'étude se sont rendu compte qu'ils disposaient de nombreux outils conceptuels pour évaluer des symptômes de perturbation, mais très peu pour mesurer la résilience. Ils disaient apprendre à « voir dans le noir » en essayant de comprendre ce qui aidait ces jeunes à se rétablir. Comment décrire précisément les mots, les actions et les pensées qui indiquaient un rétablissement ?

Ils ont ainsi décidé de revenir au bon vieil outil de base de la caisse à outils du psychologue : l'écoute. Ils ont écouté attentivement les histoires des jeunes qui se sont rétablis et les ont comparées à celles des autres. Les chercheurs étaient des psychologues du développement, pragmatiques, férus de sciences et de preuves. Ils admettaient que, d'ordinaire, ils n'auraient pas misé beaucoup sur un quelconque remède par la parole ; mais ils ont fini par reconnaître les narrations personnelles comme une ressource et un outil, une façon de créer et de maintenir progressivement un sens. Ils ont analysé les entretiens de 16 jeunes – les 9 résilients plus 7 autres – et ont noté que ces jeunes, malgré leur famille toxique, les bouleversements et les pertes, parlaient de changement, de relations et d'idées qu'ils développaient sur eux-mêmes.

Les chercheurs ont écouté les histoires personnelles – très proches de celles citées ici – sans bien savoir ce qu'ils recherchaient. Alors qu'ils écoutaient, ils ont remarqué des différences importantes. Ils ont constaté que ceux qui étaient capables de digérer leurs expériences toxiques faisaient des récits plus riches et plus fluides de leur vie interpersonnelle. Les psychologues en sont venus à réaliser que les questions importantes à poser étaient :

- Vous en tenez-vous à des généralisations ou pouvez-vous déceler des nuances dans une situation ?

- Vos histoires sont-elles flexibles et inclusives, ou fermées et statiques ?

- Êtes-vous ouvert aux opportunités de changement ou faites-vous de la résistance ?

- Pouvez-vous entretenir des relations avec d'autres personnes, ou repoussez-vous les autres car vous vous sentez menacé ?

- Pouvez-vous vous concentrer sur des expériences émotionnellement éprouvantes sans devenir vague et confus ou changer de sujet ?

- Vous voyez-vous comme un élément moteur ou comme un spectateur passif ?

Les jeunes qui continuaient à se débattre avec leur existence racontaient des histoires aux structures simples, plates et désorganisées. Ils ne pouvaient pas changer de point de vue ou élargir leurs perspectives ; les descriptions qu'ils faisaient d'eux-mêmes et de certaines situations étaient à sens unique et immuables. Les chercheurs les qualifiaient de « narrateurs de faible densité ». Leurs histoires perdaient de leur substance quand on leur demandait d'expliquer pourquoi ils avaient agi de telle façon ou de décrire ce qu'ils faisaient généralement quand les choses ne se passaient pas bien. Ils n'avaient que peu conscience des émotions d'autrui et semblaient d'ailleurs déconnectés de leurs propres sentiments. Quand ils devenaient confus, ils se mettaient en colère et « surjouaient ». Ils pouvaient déclencher des problèmes pour se distraire de ce qu'ils ne pouvaient pas comprendre.

En revanche, les histoires des jeunes résilients étaient complexes, vivantes et claires. Ils ne commençaient pas toujours par des narrations complexes, vastes et cohérentes, mais ils pouvaient changer de point de vue et apporter des précisions. Rachel fait un rapport circonstancié de sa famille, puis tente d'y pointer les problèmes : « C'est plus ou moins une famille – mais pas vraiment – comme dans un genre d'organisation familiale. » Puis elle commence à identifier une lacune : « Ils sont contrariés, mais vous savez, je ne peux pas vraiment savoir ce qu'ils pensent s'ils ne disent rien ; c'est juste qu'ils se fâchent. » Et voici Pierre, s'efforçant de mettre les réactions des autres dans le contexte de ce qu'il pense d'eux : « Si tu te sens uniquement en sécurité quand les gens ont peur de toi, ils n'auront pas envie de rester. Mais s'ils n'ont pas peur de toi, alors tu n'auras pas envie de rester. »

À 14 ans, Pierre, qui a autrefois volé une arme à feu et l'a apportée à l'école, réfléchit et corrige ses opinions passées à propos de ce qu'il a à gagner à faire peur aux gens. Tandis qu'il exprime ses suppositions qui, autrefois, étaient enterrées sous une montagne d'anxiété et de colère, il peut envisager d'autres façons d'être avec les gens.

Il n'y a rien de facile ni de prévisible dans les stratégies des jeunes qui se rétablissent après des expériences très difficiles. Ils montrent de la résilience uniquement après un processus de tâtonnements qui a pu les confronter à des déconvenues. Mais, contrairement à ceux qui sont restés bloqués, le groupe résilient a tiré les leçons de ses déboires.

Ils ont retenu les leçons de la psychologie au jour le jour : ils ont essayé de gérer leurs propres actions pour ne pas repousser les autres. Ils ont essayé de contrôler leurs propres sentiments et de vérifier que leurs réactions avaient un sens. Enfin, ils ont exercé leur capacité à influencer leur propre environnement ; ils se sont montrés capables de s'extirper de situations dangereuses, de faire baisser la température émotionnelle d'une dispute, et de réagir positivement à un comportement positif chez autrui. Forts de ces aptitudes, ils ont pu construire des relations secourables.

Les histoires, que ce soient des contes populaires, de la fiction ou du théâtre, ont du pouvoir ; elles nous aident à remettre de l'ordre dans nos expériences ; elles peuvent amener de nouveaux sujets de réflexion et élargir les perspectives. Les histoires que nous racontons à propos de notre vie, les histoires qui constituent le moi-autobiographique, nous aident à gérer le moi-central qui mémorise les expériences présentes et leur donne du sens. Mais les bonnes histoires – celles qui montrent de la cohérence, de la flexibilité et de la complexité – expliquent-elles l'adaptation réussie ou montrent-elles la capacité à gérer l'adversité ? La réponse est : oui et non. Améliorer la qualité de notre compréhension de nous-mêmes ouvre de nouvelles perspectives sur des situations, des relations, des objectifs et tous les autres aspects décisifs de la vie d'une personne. Ces nouvelles perspectives influencent nos réactions. Quand nous pouvons réfléchir à nos réactions, nous régulons mieux nos émotions, nous nous exprimons plus positivement et nous améliorons notre cadre de vie.

RÉTABLISSEMENTS RELATIFS

À tous les moments de notre vie, nous voulons comprendre la manière dont les gens que nous aimons nous traitent, placer leurs actions dans un contexte partagé, décrypter leurs humeurs, comprendre leurs actions et leurs paroles en réaction aux nôtres. En l'absence de cette cohérence de base, nous perdons pied. Nous nous préparons frénétiquement à des choses que nous ne pouvons ni comprendre ni anticiper. Nous nous retrouvons entraînés dans une danse infernale pour nous adapter à une palette étrange de restrictions et de réactions, en espérant qu'un jour nous parviendrons à comprendre et à gérer notre environnement toxique. Quand nous échouons, nous sommes envahis par la honte parce que nous pensons que nous méritons la douleur que les autres nous infligent. Nous pouvons en conclure que nous sommes démunis et nous abandonnons donc tout effort pour améliorer notre vie.

Le rétablissement est relatif. La résilience vient petit à petit, selon des moyens et des mesures très personnels. Les narrations personnelles dans lesquelles nous nous engageons tous sont des efforts continus pour donner du sens. Elles peuvent être source de renouveau et de croissance. Le pouvoir de guérison ne vient pas d'un expert qui prétend détenir la clé de l'interprétation, mais de l'affûtage de nos capacités à réfléchir, à comprendre et à réviser. Les adultes de tout âge peuvent apprendre à corriger les zones floues et les incohérences dans leurs récits autobiographiques et ils peuvent se lier à l'autre d'une façon qui défie l'entendement. Le cerveau reste plastique – capable d'apprendre et de changer – toute notre vie. Il nous faut accepter, comme le dit John Bowlby, que l'« on ne peut pas toujours rendre à l'enfant l'amour et l'attention dont il avait besoin et qu'il n'a pas reçus quand il était petit. On peut s'en approcher en montrant de la compréhension et de l'affection, voire avec une aide compétente, mais ça ne sera jamais tout à fait pareil ».

Aussi toxique que soit notre passé, nous ne pouvons pas effacer notre histoire. Nous avons besoin de nous souvenir et de réfléchir pour ancrer nos histoires. La toxicité reste en nous, mais nous pouvons nous libérer de son pouvoir. Pour certaines personnes, se souvenir et clarifier leur propre histoire n'est pas suffisant. Elles veulent aussi trouver un moyen de réparer la relation toxique, pensant pouvoir s'acquitter des conditions du dilemme une fois pour toutes. Ou bien, elles veulent vérifier si elles n'ont pas désormais la capacité suffisante pour gérer une relation qui, autrefois, les a submergées. « Puis-je bannir ma peur et mon anxiété en présence de ma mère ? Suis-je désormais capable de l'affronter ? Puis-je dire ce que j'ai sur le cœur en toute franchise, sans ressentir de terreur ? Puis-je insister en affirmant "Voilà qui je suis et je ne battrai pas en retraite si je vois que ça te déplaît" ? »

Jour après jour, vous vous retrouvez à rechercher l'amour et l'approbation maternelle. Vous pouvez décider de vous contraindre à abandonner tout espoir qu'un jour vous obtiendrez la réaction tant attendue. Vous pouvez renoncer à l'espoir que la relation toxique s'améliore un jour, soit parce que votre mère va changer, soit parce que vous avez trouvé le truc pour lui plaire. Pour avancer, vous devez accepter qu'en sa présence – sa présence physique ou le modèle interne que vous gardez en vous – le dilemme vous sera toujours imposé, mais vous pouvez refuser d'en accepter les termes. Alors vous pourrez vous consacrer à la recherche du plaisir, des satisfactions, d'un engagement et de la résonance par d'autres biais.

Vous entendez encore quotidiennement la voix sévère que vous avez intériorisée, la voix qui sème la suspicion et contient des accusations, la voix qui assène des avertissements et annonce le pire. En prenant du recul, vous saurez que cette voix qui résonne à vos oreilles n'est que l'écho de vos anxiétés passées, le vestige d'inutiles séquelles. Peg Streep, en voie de guérison, remarque : « Sa voix résonne parfois encore dans ma tête de façon étrange et inattendue, mais elle ne déclenche plus de réaction. Je peux la placer dans la perspective de sa vie. » La voix sévère qui résonne dans votre tête peut être assourdie, mais il n'est pas possible de la faire taire complètement.

Quand nous réévaluons des critiques passées, des condamnations ou des représailles, nous réalisons que l'approbation de notre mère ne vaut pas ce à quoi nous devons renoncer en échange. Nous réalisons que notre mère a changé, qu'elle s'est adoucie, que ses vieux démons se sont endormis. Nous réalisons qu'elle n'est plus aussi rigide, dominatrice ou lunatique, pourtant les disputes continuent. Pour cesser de batailler contre elle, nous devons gagner la bataille contre nous-mêmes.

Le rétablissement implique de se libérer de la méfiance de soi ; c'est la capacité à se voir d'un œil neuf et tolérant. Il implique la capacité à identifier les réactions et manœuvres variées que l'on a utilisées défensivement contre le dilemme d'une mère toxique ; il remplace des défenses contraignantes par des stratégies d'adaptation appropriées et créatives. Finalement, l'objectif n'est pas de résoudre les problèmes entre votre mère et vous, mais entre vous et les cheminements de pensée basés sur la peur qui s'immiscent entre vous et votre capacité à vous épanouir comme bon vous semble.

Il reste un dernier obstacle entre vos expériences d'une mère toxique et un possible rétablissement. Vous pouvez avoir vécu une relation toxique avec votre mère et avoir été particulièrement sensible à ses humeurs, son mécontentement, ses critiques ou son manque d'engagement, parce que vous êtes génétiquement vulnérable aux circonstances difficiles ; mais souvenez-vous que le gène souvent qualifié de « gène de la dépression » se nomme aussi « gène de l'orchidée » à cause de la délicatesse qui y est associée. Certains enfants sont aussi résistants que des pissenlits, ils sont capables de s'épanouir malgré des conditions défavorables ; d'autres enfants sont vulnérables aux conditions extrêmes. Ils deviendront dépressifs, développeront des addictions ou des schémas défaitistes, ou bien encore leur colère les rendra agressifs. Ce gène particulier est lié à l'amygdale cérébrale qui vous rend hyper vigilant aux réactions d'autrui ; mais il vous donne aussi une longueur d'avance dans une vaste palette d'apprentissages. Vous être probablement plus à l'unisson avec les réactions et les sentiments d'autrui. Vous évaluez plus rapidement la température émotionnelle du langage et du corps. Ce qui vous rend vulnérable aux défaillances maternelles vous rend aussi créatif, réfléchi et, finalement, résilient.

Le plus grand soulagement vient de l'acceptation du fait que ce n'est pas notre mère qui détient le contrôle sur les peurs, les doutes et les insatisfactions que nous pouvons avoir appris dans les hauts et les bas de notre relation avec elle. Le soulagement vient de la renonciation à l'envie de lui livrer une dernière bataille pour gagner sa reconnaissance, son acceptation ou son admiration. C'est la prise de conscience que notre bataille n'est plus celle qui nous oppose à notre mère, mais celle qui nous oppose à l'histoire qui nous a formés nous-mêmes et notre moi les meilleurs possible.

POURSUIVRE L'AUDIT ÉMOTIONNEL

L'affirmation suivante est lourde de conséquences : comprendre les raisons pour lesquelles nous trouvons que notre mère est toxique et comment nos expériences nous affectent peut nous aider à reconnecter notre cerveau. Nous changeons littéralement d'état d'esprit quand nous réfléchissons à nos émotions profondes et à nos postulats à notre sujet et à celui des autres. Les vieilles habitudes ont la vie dure, mais l'esprit reste actif et plastique ; en d'autres termes, nous pouvons toujours apprendre de nouvelles façons de réagir et de nous adapter aux difficultés. Voici quelques questions pour exercer votre résilience.

Dressez la liste des sentiments, suppositions et comportements qui, d'après vous, ont résulté de vos relations avec votre mère toxique.

Pour chaque émotion, supposition et habitude de la liste, concentrez-vous sur les mesures que vous pouvez prendre pour y remédier. Comprendre – au sens de définir comment les relations toxiques avec votre mère ont fait naître ces sentiments, pensées et habitudes défaitistes – n'est que la première étape vers la résilience. La question cruciale est : « Comment pouvez-vous être efficace dans votre vie ? »

Faites le bilan de santé de votre moi-autobiographique.

- Énumérez quelques interactions typiques avec votre mère. Pensez à approfondir les descriptions qui contiennent « toujours » et « jamais ». Méfiez-vous des suppositions, parce que ces déclarations universelles sur les gens et les relations sont rarement exactes.

- Pouvez-vous citer des exemples précis pour illustrer les termes généraux que vous employez ?

- Vérifiez s'il y a une parfaite adéquation entre vos commentaires généraux et les épisodes et exemples spécifiques cités.

- Si c'est le cas, votre récit est cohérent et vous avez moins de risques de reproduire vos propres expériences toxiques.

- Testez votre capacité à changer de point de vue. Pouvez-vous voir les mêmes événements de différents points de vue ? Assurez-vous que la chronologie est claire et cohérente.

- Notez vos réactions quand le comportement d'autrui ou vos propres sentiments sont déroutants. Avez-vous tendance à accuser les autres ? Vous mettez-vous en colère ? Vous lancez-vous dans une tirade contre vous-même ? Êtes-vous anxieux ou fâché quand vous êtes sur le banc des accusés ?

- Identifiez la cause réelle de votre anxiété ou de votre colère.

- Expliquez-vous vos sentiments.

- Réagissez-vous de façon exagérée à la phobie sociale ?

- Énumérez les conséquences de cette timidité excessive que vous craignez. Demandez-vous si cette crainte ou cet embarras est bien réaliste.

- Espérez-vous encore résoudre le dilemme toxique ?

Même si vous savez que vous ne parviendrez jamais à satisfaire votre mère, vous espérez qu'un jour vous serez l'enfant qu'elle aurait voulu avoir et que cela aboutira à la satisfaction et à la sécurité. Réfléchissez-y et demandez-vous si cette quête a vraiment un sens. Dans le cas contraire, demandez-vous comment vous pouvez avancer sans obtenir cette réaction tant attendue. De quelles autres sources pouvez-vous recevoir reconnaissance, compréhension et engagement ?

Posez-vous les questions suivantes avant de poursuivre vos efforts pour changer la relation toxique :

- Pouvez-vous renoncer à l'idée que tout ira bien entre votre mère et vous si et seulement si vous satisfaites à ces attentes, besoins ou normes ?

- Pouvez-vous l'aimer sans vous considérer comme un échec ou une déception ?

- Pouvez-vous accepter que votre mère n'ait pas envie de vous connaître ? Ou êtes-vous toujours terriblement déçu quand elle ne vous écoute pas attentivement ?

Enfin, concentrez-vous sur les leçons que vous avez apprises des difficultés de la relation avec votre mère et les aptitudes que vous avez développées pour gérer cette relation.

- Voyez-vous des aspects positifs à votre relation avec votre mère ?

Imaginez ce que vous ressentiriez si vous renonciez à en vouloir à votre mère.

- Cela vous paraît-il étrange ?

Si oui, essayez de préciser ce sentiment étrange :

- Vous sentez-vous vide, comme si vous aviez abandonné une part importante de votre identité ?

- Vous sentez-vous exposé, comme si votre colère vous protégeait des déceptions ou du choc soudain d'un nouveau pic de rage ?

Il vous faudra peut-être du temps pour identifier plusieurs sentiments :

- Essayez de différencier la douleur du ressentiment. Alors qu'il est important de reconnaître la douleur que vous avez ressentie et d'en comprendre l'origine ou les conditions dans lesquelles elle a surgi, elle ne doit pas nécessairement continuer à modeler vos relations.

- Essayez de regarder les comportements familiers d'un œil neuf. Il fut un temps où la colère, la domination, le narcissisme, l'envie ou la dépression de votre mère frappaient durement votre psyché parce que votre esprit se nourrissait de ses réactions. Aujourd'hui que vous avez tracé votre propre voie dans votre univers interpersonnel cohérent, sa toxicité perd de sa signification et sa force a beaucoup diminué.

Une mère toxique pose le dilemme suivant : « Réponds à mes besoins, attentes et exigences quel qu'en soit le prix pour toi, ou subis ma froideur, ma condamnation, ma manipulation ou ma moquerie. » Mais vous pouvez rassembler le courage et la force d'objecter : « Je n'apprécie pas ta froideur, ta condamnation, ta manipulation ou ta moquerie, mais cela ne changera pas qui je suis et cela ne me détruira pas. Je peux maintenant voir cette attitude pour ce qu'elle est vraiment. Je préserverai notre relation, mais je ne me plierai pas aux conditions du dilemme que tu essayes de m'imposer. »

Tout cela paraît évident quand nous en arrivons là ; mais la route pour y arriver est semée d'embûches. Le bout du chemin n'est pas immédiatement perceptible. C'est à vous d'être capable de voir le but ultime. Chacun doit trouver sa route, même si plusieurs personnes se débattent de façons similaires avant et après. Personne ne peut faire le voyage à notre place ; personne ne peut nous l'épargner ; mais partager les dénominateurs communs aux voyages des autres peut nous donner les repères dont nous avons besoin.

REMERCIEMENTS

L'idée d'écrire ce livre m'est venue d'un article que l'on m'a demandé de rédiger pour *Psychology Today*. Tandis que je compulsais mes recherches et travaillais sur l'article, je me suis aperçue que ce sujet me hantait depuis de nombreuses années. Il était resté à la périphérie de mon esprit et je m'efforçais de résister à l'envie d'écrire qui me tenaillait jusqu'à ce que les éditrices Carlin Flora et Hara Estroff Marano m'encouragent à me lancer. Je suis reconnaissante à tous ceux qui m'ont contactée à propos de l'article, en m'expliquant ce qu'il avait signifié pour eux et qui, par leurs questions, m'ont poussée à approfondir mes recherches. Beaucoup de travail a été nécessaire avant que ce livre voie le jour. J'ai été aidée par des conversations et des débats avec des collègues, notamment Ruthellen Josselson et Janet Reibstein. L'enthousiasme dont Julia Newbery a fait preuve envers le projet de recherche auquel elle a contribué au Centre Anna Freud et qui portait sur les mères et les nourrissons a attiré mon attention sur les découvertes révolutionnaires qui ont été faites sur le rôle des mères dans le développement cérébral. Les réactions de Carol Gilligan à la lecture du manuscrit m'ont été d'une aide incommensurable pour préciser les thèmes et les variations de ce sujet hautement sensible. L'intérêt exprimé par Susan Golombok m'a encouragée à continuer à croire en ce projet.

Du début à la fin, mon agent Meg Ruley a fait preuve d'un enthousiasme et d'un soutien inébranlables. Mon éditrice, Jill Bialosky, a mis ses compétences au service de ce livre en lui donnant la forme qu'il a aujourd'hui.

Comme toujours, les hommes et femmes qui ont participé à mes recherches sont des collaborateurs précieux. Ils ont été généreux de leur temps et de leur énergie et je leur suis énormément redevable.

BIBLIOGRAPHIE INDICATIVE D'OUVRAGES ANGLOPHONES

Apter, Terri, *Altered Loves: Mothers and Daughters During Adolescence*, New York, Fawcett, 1991
– *Secret Paths: Women in the New Midlife*, New York, W.W. Norton, 1997
– *You Don't Really Know Me: Why Mothers and Teenagers Daughters Fight*, New York, W.W. Norton, 2004

Brown, Lynn Mikel, et Carol Gilligan, *Meeting at the Crossroads: Women's Psychology and Girls' Development*, Cambridge (MA), Harvard University Press, 1992

Cozolino, Louis, *The Neuroscience of Human Relationships: Attachment and the Developing Social Brain*, New York, W.W. Norton, 2006

Damasio, A.R., « Toward a Neurobiology of Emotion and Feeling: Operational Concepts and Hypotheses », *The Neuroscientist* 1, 1995

Erikson, Erik, *Childhood and Society*, New York, W.W. Norton, 1964

Fonagy, P., G. Gergely, E. Jurist, et M. Target, *Affect Regulation, Mentalization, and the Development of the Self*, New York, Other Press, 2002

Gopnik, A., A. Meltzoff et P. Kuhl, *How Babies Think: The Science of Childhood*, Londres, Weidenfeld and Nicholson, 1991

Hrdy, Sarah Blaffer, *Mother Nature: Maternal Instincts and How They Shape the Human Species*, New York, Ballantine, 2000

Josselson, Ruthellen, *The Space Between Us: Exploring the Dimensions of Human Relationships*, San Francisco (CA), Jossey Bass, 1995

Roiphe, Anne, *Fruitful: A Real Mother in the Modern World*, Boston, Houghton Mifflin, 1996

Schore, Allan N., *Affect Dysregulation and Disorders of the Self*, New York, W.W. Norton, 2003

Stern, Daniel, *The First Relationship: Infant and Mother*, Cambridge (MA), Harvard University Press, 1977

Winnicott, Donald W., *The Maturational Processes and the Facilitating Environment: Studies in the Theory of Emotional Development*, New York, International Universities Press, 1965

TABLE DES MATIÈRES

11484

Composition
NORD COMPO

Achevé d'imprimer en Slovaquie
par NOVOPRINT
le 28 avril 2020

Dépôt légal mai 2016
EAN 9782290125304
OTP L21EPBN000384A003

ÉDITIONS J'AI LU
87, quai Panhard-et-Levassor, 75013 Paris
Diffusion France et étranger : Flammarion